Jean Callens

Mille ans d'histoire

dans le Nord-Pas-de-Calais

et en Picardie

Jean Callens

Après quelques années d'enseignement, Jean Callens rejoint son frère Paul, fondateur de la librairie *Le Furet du Nord*, à Lille, et participe, pendant 27 ans, à l'expansion et à l'animation culturelle de l'entreprise. Tous les grands auteurs du moment se souviennent de cette période. En prenant sa retraite, il devient l'animateur d'une rubrique quotidienne sur l'antenne de Radio-France Fréquence Nord et, plus tard, participe à l'émission *Tout le monde descend*, sur France 3 Lille. On fait appel à lui pour la réalisation de plusieurs films sur l'histoire de la région : *Des légendes et des hommes* et *Les Grandes Dates du siècle*. Pour la revue *Nord et Pays du Nord*, il écrit de nombreux articles sur les livres concernant la région et ses auteurs.

Couverture : le sceau de Jeanne de Flandre
(coll. ADN, cl. J.Y. Populu).

14/1, rue de Paris, 7500 Tournai (Belgique).
www.larenaissancedulivre.com

ISBN : 2-8046-0801-8.

Jean Callens

Mille ans d'histoire

dans le Nord-Pas-de-Calais

et en Picardie

LA RENAISSANCE DU LIVRE

Mes professeurs m'ont appris à aimer
l'histoire et les histoires de l'Histoire.
Les auteurs rencontrés au cours d'un quart de
siècle au Furet du Nord à Lille m'ont
inculqué leurs passions.
Radio-France Fréquence Nord m'a fait parler
clair, précis et sans fioriture.
À France 3 Lille, en rejoignant la caravane
de l'émission Tout le monde descend,
j'ai découvert des gens épris de leur région,
de leur histoire et de ses sites.
De la Flandre à l'Avesnois, du Vimeu au
Valois, au Soissonnais et au Laonnois,
nos ancêtres ont vécu une histoire commune,
oubliée ou méconnue.
Sommes-nous en droit de remettre en
perspective les grands événements qui ont
façonné l'histoire de nos pays séparés,
regroupés, remodelés, défigurés et cernés
dans des frontières artificielles qu'elles soient
politiques, régionales ou départementales ?

L'avenir sans le passé est aveugle ; le passé sans l'avenir est stérile

"Dans un monde qui change plus vite et plus radicalement qu'il ne l'a jamais fait depuis ses lointaines origines... l'avenir se nourrit de passé : c'est ce qu'on appelle la tradition.

Parce que le changement, la nouveauté, le progrès lui-même, oui, le progrès, porteur de tant de menaces à côté de tant de promesses, risquent de faire du futur quelque chose de sombre, d'inquiétant, d'aussi cruel que le passé – peut-être encore bien plus – il y a de l'espoir pour la tradition. À deux conditions : qu'au-delà des tentations, des lassitudes et des compromissions, elle sache rester fidèle à elle-même et qu'au-delà des routines et des mesquineries, elle sache s'ouvrir à tout ce qu'il y a, dans le temps qui passe, d'aspiration à plus de vérité et à plus de justice.

L'avenir sans le passé est aveugle ; le passé sans l'avenir est stérile. Il n'y a pas de grand projet qui ne soit d'abord fidélité et il n'y a pas de grand souvenir qui ne soit en même temps une promesse...

À la splendeur du souvenir et de la fidélité répond l'ardeur de l'annonce, de l'attente, de la promesse. L'histoire est une continuité ; elle est aussi une impatience."

Extrait de la réponse de Jean d'Ormesson au discours de réception de Marguerite Yourcenar à l'Académie française, le 22 janvier 1981.

Sommaire

XIe siècle 13

Premières années du millénaire 15

1008 Notre-Dame-du-Saint-Cordon à Valenciennes 18

1066 Inauguration de la collégiale Saint-Pierre à Lille 19

1066 Guillaume le Conquérant quitte Saint-Valery pour rejoindre l'Angleterre 20

1095 Ralliement des croisés à Abbeville 22

XIIe siècle 25

Les châteaux forts du Moyen Âge 27

1112 Insurrection communale à Laon 30

1125 Naissance de l'ogive : Beauvais, Airaines, Lucheux, Morienval 32

1127 Assassinat de Charles le Bon à Bruges 34

1128 Réunion du Temple sur le mont Cassel 35

1132 Fondation de l'abbaye de Vaucelles 36

1150 L'âge d'or de la Picardie littéraire 38

1179 Mariage de Philippe II, roi de France, avec Isabelle de Hainaut 40

1188 Les Charitables de Béthune 42

XIIIe siècle 45

Les beffrois 47

1205 Mort de Baudouin IX, empereur de Constantinople 50

1213 L'année terrible 51
1214 La bataille de Bouvines 52
1214-1280 Gouvernement de Jeanne et de Marguerite de Flandre 54
1217 Eustache le Moine 56
1220 Notre-Dame d'Amiens 58
1225 Le "retour" de Baudouin IX, comte de Flandre 60
1250 La légende du sire de Créquy 61
1253 Guillaume de Rubrouck, envoyé royal en Mongolie 62

XIVe siècle 65
Que sont nos moulins devenus ? 67
1302 Les "Matines brugeoises" et la bataille des Éperons d'or 70
1346 La guerre de Cent Ans 72
1348 La peste noire 74
1358 La Jacquerie 77
1384 Philippe le Hardi, comte de Flandre 78
1385 Lille, capitale 80

XVe siècle 83
Pour le carnaval, un peuple de géants 85
1415 La bataille d'Azincourt 87
1419 Philippe le Bon, grand duc d'Occident 89
1431 Premier chapitre de l'ordre de la Toison d'or 91
1440 Josquin des Prés : le prince de la musique 92

1454 Le banquet du Faisan 94
1467 Charles le Téméraire 96
1468 La rencontre de Péronne 98
1475 La paix de Picquigny 99
1479 Louis XI s'empare d'Arras 100
1493 Un conte de Noël 101

XVIe siècle 103
Le XVe siècle, un siècle d'or ? 105
1520 Le camp du Drap d'or 108
1553 Boulogne, Thérouanne, Hesdin 110
1555 Augier de Bousbecque, ambassadeur auprès de Soliman le Magnifique 112
1558 Prise de Calais et traité du Cateau-Cambraisis 115
1567 Guerre civile ou guerre de Religion ? 117

XVIIe siècle 119
Les bières des pays du Nord 121
1620 Assainissement des Moëres 124
1640 "Quand les Français rendront Arras…" 125
1643 Rocroi et Lens 127
1652 La Bourse de Lille 128
1658 Dunkerque, espagnole, française ou anglaise ? 129
1660 À la découverte du charbon 131
1662 4 500 000 écus d'or pour Dunkerque 133
1664 Les manufactures royales : Beauvais, Saint-Gobain, Abbeville 135
1667 Lille, en France 138

1673 D'Artagnan, gouverneur de Lille 140
1679 Vauban et le “pré Carré” 141
1685 Révocation de l'édit de Nantes 143
1695 Fénelon, archevêque de Cambrai 146

XVIIIe siècle 149
La route des villes fortifiées 151
1702 Jean Bart 154
1707 Vauban 156
1708 Lille, Malplaquet, Denain et la paix d'Utrecht 158
1720 Découverte du charbon à Fresnes 161
1784 À la conquête de l'espace 163
1786 Parmentier développe la culture de la pomme de terre 165
1788 L'orage du 13 juillet 1788 167
1792 Lille, Hondschoote, Wattignies, Tourcoing 169
1794 De Sainte-Catherine à Ménilmontant 171
1799 De Dunkerque à Barcelone : la Méridienne 173

XIXe siècle 175
Les années de la Révolution française 177
1802 De la paix d'Amiens au camp de Boulogne 181
1805 La saga du sucre “indigène” 184
1825 Frédéric Kuhlmann et les débuts de l'industrie chimique 187
1845 L'essor de l'industrie textile 189

1845 La Compagnie Fives-Lille 192
1846 Naissance des Chemins de Fer du Nord 194
1846 Boucher de Perthes,
père de la préhistoire 196
1854 Pasteur, doyen de la faculté
des sciences à Lille 198
1870 Faidherbe et l'armée du Nord 201
1872 Jules Verne à Amiens 203
1884 *Germinal* 205
1888 Le chant de l'*Internationale* 207
1891 Le premier mai sanglant de Fourmies 209
1899 Édouard Branly 211
1906 La catastrophe de Courrières 213
1909 Blériot traverse la Manche en avion 215

XXe siècle 219
La Grande Guerre 221
1927 Radio PTT Nord à Lille 229
1936 Les congés payés 230
1936 Mort de Roger Salengro 230
La Seconde Guerre mondiale 234
1945 La bataille du charbon 244
1950 Naissance de Télé-Lille 247
1954 L'autoroute A1 249
1964 La sidérurgie sur l'eau 251
1966 La Communauté urbaine de Lille 253
1968 Le Parc naturel régional de la Scarpe
et de l'Escaut 255
1971 Renault à Douai 257
1980 La centrale nucléaire de Gravelines 258

1983 Inauguration du VAL 260
1984 Centre historique minier de Lewarde 262
1991 Nausicaà à Boulogne-sur-Mer 264
1992 L'Historial de la Grande Guerre
à Péronne 266
1993 Ouverture des frontières
et ouverture de l'autoroute A16 268
1993 TGV Paris-Lille et Euralille 270
1994 Ouverture du Tunnel sous la Manche 272
1999 La baie de Somme parmi "les plus belles
baies du monde" 274
2000 Pierre Mauroy 277

Quelle terre pour nos enfants ? 279
Pour une eurométropole franco-belge 283

Bibliographie 291
Index des personnalités 302

XIe siècle

Premières années du millénaire 15
1008 Notre-Dame-du-Saint-Cordon à Valenciennes 18
1066 Inauguration de la collégiale Saint-Pierre à Lille 19
1066 Guillaume le Conquérant quitte Saint-Valery pour rejoindre l'Angleterre 20
1095 Ralliement des croisés à Abbeville 22

Premières années du millénaire

"Que dire de l'abondance des richesses diverses que la divine Providence t'a données et dont toi, Baudouin V jouis, selon sa volonté et par droit héréditaire… Que dire de cette terre jusqu'alors peu cultivable que ton ingéniosité et ton activité ont rendue fertile ? Elle l'emporte maintenant sur d'autres terres naturellement plus fertiles…"

Cette lettre de l'archevêque de Reims au comte de Flandre Baudouin V, dit de Lille (1035-1067) dit assez les progrès accomplis. Et pourtant la terre de Flandre avait subi bien des malheurs. À peine les Normands avaient-ils quitté les vallées ravagées par les pillages et les incendies que d'étranges mouvements de la mer débordèrent vers les aires continentales les plus proches et les plus basses. Par trois fois semble-t-il, en 944, en 1014 et en 1041, ces transgressions maritimes remontèrent la vallée de la Somme jusqu'au port d'Abbeville, la vallée de la Canche jusqu'à Montreuil, la vallée de l'Aa jusqu'aux murailles de Saint-Omer et la montagne de Cassel, et l'Yser devint un fleuve dont l'estuaire incertain encercla Furnes ; par contre Bruges était un vrai port de mer.

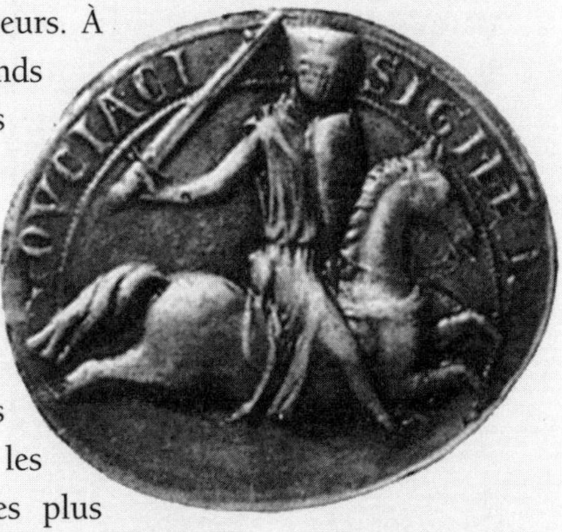

Le sceau de Enguerand III de Coucy (vers 1220).

Pour maîtriser ce terrain à peine né et cette mer mouvante, il a fallu apprendre à élever des digues. Ce n'est pas une simple levée de terre, la digue, c'est un acte social, c'est l'expression d'une volonté commune de résistance aux éléments, le manifeste de l'appartenance à une terre que l'on veut garder et défendre. Quels que soient les dangers qui sans cesse menacent, on veut y vivre, travailler et mourir. Ainsi naîtra tout au long de la côte un peuple rude et fier, pointilleux quand il s'agira de conserver l'acquis : derrière ces digues on a construit des villes et des villages. Ainsi Rue, capitale du Marquenterre, place forte du comté de Ponthieu, riche de son port et de ses salines. Jean de Ponthieu accorda à Rue sa charte communale en 1147.

Il en ira de même à Bergues, suivant la charte accordée par Baudouin V à l'abbaye de Bergues : "Et si une solitude ou une terre rebelle à la culture se trouve à côté de la terre du susdit monastère, qu'il lui soit permis sans

Rue (Somme), la chapelle du Saint-Esprit (dessin du XIXe siècle).

aucune contradiction de l'appliquer à son propre usage. Qu'il possède de même tout ce qui dans les susdites villae pourra être gagné sur la mer ou sur les marais..."

L'arrière-pays lui aussi s'organisait. D'un pays désolé et d'une terre gorgée d'eau, les moines, aussi fidèles au travail qu'à la prière, créeront des domaines agricoles. D'abord, grignoter la lande par le feu et la forêt par le fer : seules nous resteront les grandes forêts d'Hesdin, de Saint-Amand et de Raismes, Crécy, Mormal, Saint-Gobain, Compiègne, Retz, Froidemont, Halate et Chantilly. Partout ailleurs on défriche, on creuse des watergangs et des écluses. La terre apparaît. Que vienne la charrue. Serait-il vrai que le passage des Vikings nous a laissé une innovation majeure : le cheval attelé à la charrue ? Mieux qu'un bœuf et plus rapide, le cheval permettra trois labours dans l'année. Nos terres deviendront les plus riches : rapidement, les rendements en blé, avoine, lentilles, fèves et pois s'amélioreront.

Viendra le temps où rois, ducs, comtes, barons et brigands de grand chemin revendiqueront ces riches terres. Elles éveilleront les convoitises de tous les voisins.

1008

Notre-Dame-du-Saint-Cordon à Valenciennes

Il fut un temps où la grande faucheuse était la peste. Elle frappait les imaginations par la brutalité de son apparition et le nombre des victimes. Nulle médecine pour en guérir. Seule la prière, semblait-il, apportait une protection.

En ce mois d'août 1008, nous rapporte la tradition, plusieurs milliers de Valenciennois avaient été les victimes de l'épidémie. Les derniers espoirs des survivants se tournaient vers la Vierge Marie. Écoutant ces supplications, la Vierge apparut à Bertholin, un moine réputé pour sa piété : elle lui demanda de rencontrer les autorités de la ville pour obtenir que toute la population se rassemble sur les remparts au soir du 7 septembre.

Le miracle qui suivit marqua à jamais les mémoires : soudain la lumière dissipa les ténèbres, la Vierge Marie entourée d'anges apparut à tous, elle déroula autour de la ville "un filet rouge". Désormais "cette ville m'appartient", semblait-elle proclamer. Bertholin, le moine, reçut un second message : cette fois, la Vierge demandait aux Valenciennois de se réunir chaque année en procession en faisant le tour de la ville sur la trace du cordon. La peste cessa.

Et c'est ainsi que depuis plus de 900 ans, les Valenciennois accomplissent le "tour du Saint-Cordon". Le "filet rouge" fut conservé dans un reliquaire et la coutume voulut que soit déroulé[1] un cierge tout au long du "chemin de la procession".

Le "filet rouge" a disparu pendant la Révolution ainsi que la belle église Notre-Dame-la-Grande, mais la procession du Saint-Cordon déploie chaque année son cortège de foi et de solidarité.

1066

Inauguration de la collégiale Saint-Pierre à Lille

Tout indique que dès l'an 1000, Lille était déjà une place recherchée, située qu'elle était à la rencontre de la Deûle navigable et des grands chemins qui conduisaient d'Arras à Gand et Bruges. Un centre urbain prenait son développement tout au long des berges. Rien d'étonnant d'y découvrir un "château fort", le *Castrum insulense* suffisamment solide pour tenir tête aux brigands de passage.

Lille entrera dans l'histoire le 2 août 1066 lorsque le roi de France Philippe Ier et le comte de Flandre Baudouin V feront leur entrée solennelle dans une cité en fête. Il s'agissait, ni plus ni moins, d'inaugurer la collégiale Saint-Pierre dont la construction avait débuté une dizaine d'années plus tôt. Journée mémorable puisque le comte de Flandre accordait aux chanoines de la collégiale la charte ou "Grand Privilège" qui leur donnait toute

1. Enroulé sur un treuil, on déroulait un cierge appelé une soignie ou rat de cave. Il pouvait mesurer 6 000 aunes et peser 500 livres ! Il faisait le "tour de la procession", soit le tour de la ville ancienne.

juridiction dans le domaine de la collégiale ; revenaient aussi à la collégiale les biens fonds situés à Fins, Lomme, Esquermes et ailleurs.

Détruite à la Révolution française, les restes en furent enfouis sous le palais de justice. En 1833, des fouilles mirent au jour la crypte d'origine, mais les travaux du nouveau palais de justice ont fait disparaître en 1963 ce qui restait de l'ancienne collégiale. Selon les archéologues, le plan retrouvé du chœur et des cinq chapelles rayonnantes rappelait celui de la cathédrale de Soissons.

1066

Guillaume le Conquérant quitte Saint-Valery

La météo est belle et bonne en ces derniers jours de septembre. Voilà des jours et des jours que Guillaume trépigne d'impatience : près de 900 navires sont réunis dans le port, 5 000 hommes attendent le signal du départ. Le vent, tout le monde attend le vent, le bon vent. Il y eut même prières et processions pour qu'il souffle, ce vent qui pousserait Guillaume et ses hommes vers les côtes de l'Angleterre.

> *"Et sans retard chacun se hâte à son devoir.*
> *Les uns dressent les mâts ; les autres s'affairent,*
> *Les mâts étant dressés, à hisser les voiles.*
> *Un plus grand nombre fait entrer de force les chevaux :*

D'autres rangent en ordre les armes.
Une armée de fantassins afflue au port,
Comme un vol de colombes rejoint son pigeon-
nier."

(Guy, évêque d'Amiens, *Chant sur la bataille d'Hasting*, XIe siècle, cité par Jacques Darras, *La Mer hors d'elle-même*, Hatier.)

Le 29 septembre 1066, hommes et chevaux embarquent et la flottille se laisse emporter avec la marée. Drame, au petit matin : nulle trace du *Mora*, le drakkar sur lequel était monté Guillaume. La brume de nuit avait dispersé la flottille. La vigie bat le rappel, les navires se rassemblent. "Il y eut bientôt tant de mâts que la mer ressembla à une forêt." C'est le débarquement paisible à Pevensey. Lorsqu'il prend pied sur le domaine qu'il revendique, Guillaume empoigne cette terre et jure de ne plus la laisser échapper.

Reste Harold, le parjure. Il rassemble ses forces à Londres et les deux armées se rencontrent à Battle, près de Hastings, sur la lande de Senlac. Le 14 octobre 1066 au petit matin, les 5 000 hommes de Guillaume engagent le combat : les archers d'abord, derrière eux les piétons, suivent les chevaliers prêts à charger. Harold, de son côté, dirige l'attaque et semble même, un moment, être le vainqueur. D'un coup le sort bascule. Harold est blessé à mort par une flèche et le combat cesse à la nuit tombée.

Guillaume le Conquérant sera couronné le 25 décembre 1066, dans la cathédrale de Westminster, à Londres.

1095

Abbeville : le ralliement des Croisés. "Dieu le veut !"

L'année 1033 fut la grande année du pèlerinage à Jérusalem. Mille ans après la mort du Christ, "une foule innombrable se mit à converger vers le sépulcre du Sauveur". Raoul Glaber raconte que toutes classes confondues, rois, comtes, marquis, prélats, chevaliers et petites gens n'avaient qu'un seul souhait, atteindre Jérusalem et même "la plupart avaient le désir d'y mourir". Aubaine pour les pillards et les bandits de grand chemin ! Très rapidement, les pèlerins de la Terre sainte demandèrent protection.

Au cours du concile de Clermont en Auvergne en 1095, le pape Urbain II appela la chrétienté à libérer les chemins de la Terre sainte.

Pendant deux siècles, un immense élan conduira princes et chevaliers, prédicateurs et petit peuple vers une Jérusalem mythique, vers des Lieux saints inconnus et lointains. Sans rien connaître de la géographie et de la stratégie, ignorants des difficultés à venir, la faim et la soif, la maladie et les combats, ils ont suivi des hommes hors du commun.

Né à Amiens, Pierre l'Ermite fut sans doute le premier à répondre à l'appel du pape. Il parcourait les pays du Nord, de la vallée de la Somme à Boulogne, de Rouen à Reims. Dès la fin de l'année 1095, la première croisade populaire, qui regroupait plus de 50 000 personnes, prenait le chemin de Constantinople par Namur, Aix-la-

Chapelle, Vienne, Belgrade et Sofia. Elles arrivèrent aux portes de Constantinople au mois d'août 1096... Hélas, la suite fut un désastre.

"Dieu le veut !" sera le cri de ralliement des armées du Nord à Abbeville le 15 août 1096, sous la bannière de Godefroy de Bouillon, comte de Boulogne. Un an plus tard, sur les traces de Pierre l'Ermite, les voilà devant Constantinople et ce ne sera qu'au mois de juin 1099 qu'ils découvriront les murailles de Jérusalem. Le 15 juillet au matin, au cri de "Dieu le veut !", l'assaut fut donné. Jérusalem tomba aux mains des croisés.

Pendant près de deux siècles, les chrétiens de tous rangs s'efforceront de "sauver l'honneur de Dieu" en Terre sainte.

L'église du Saint-Sépulcre à Abbeville a été élevée à l'emplacement de cette rencontre du 15 août 1096. Alfred Manessier en a refait récemment les vitraux.

XIIe siècle

Les châteaux forts du Moyen Âge		27
1112	Insurrection communale à Laon	30
1125	Naissance de l'ogive : Beauvais, Airaines Lucheux, Morienval	32
1127	Assassinat de Charles le Bon à Bruges	34
1128	Réunion du Temple sur le mont Cassel	35
1132	Fondation de l'abbaye de Vaucelles	36
1150	L'âge d'or de la Picardie littéraire	38
1179	Mariage de Philippe II, roi de France, avec Isabelle de Hainaut	40
1188	Les Charitables de Béthune	42

Les châteaux forts du Moyen Âge

Que s'est-il donc passé pour que, dans les années 800 à 930, les Vikings soient venus visiter toutes les côtes septentrionales et occidentales de l'Europe ? Ce déferlement a-t-il eu pour cause un surpeuplement de la Scandinavie ou tout simplement l'amélioration remarquable d'une barque élégante et stable, pouvant naviguer à la fois à la rame et à la voile, peu profonde et capable de remonter les fleuves et rivières sans avoir besoin d'un port en eaux profondes. Toujours est-il que tous les grands fleuves furent visités, les populations malmenées et les villes et villages, abbayes et églises pillés, détruits ou brûlés. Les Vikings semaient la terreur partout où ils passaient. Restait donc, pour les populations menacées, à se regrouper pour organiser la défense.

Les fleuves et rivières qui débouchent sur la mer du Nord et la Manche ouvraient des couloirs privilégiés pour les navires des Vikings : l'Escaut et la Lys, l'Yser, l'Aa, la Canche, la Somme et la Bresle. Les populations de ces régions en ont fait les frais. Les historiens ont retenu que le jeune roi Louis III réussit à stopper "la grande armée viking" à Saucourt près d'Abbeville, en 879. Après ce succès, il remonta avec son armée vers la Lys et l'Escaut pour empêcher, là encore, la mainmise des Vikings installés à Courtrai où ils avaient aménagé un *castellum ex linea materia* (un château en bois).

Un *castellum* est organisé par le roi Louis III à Etrun-sur-Escaut. Ces châteaux de bois, capables de contenir une attaque, il s'en est construit à Anvers, Gand, Courtrai, Lille, Tournai, Valenciennes, Cambrai, Douai et Arras, Mons et Maubeuge, Saint-Omer, Montreuil, Rue, Abbeville et Amiens, partout où la menace des Vikings l'imposait. Ailleurs, pour surveiller les principales voies, ce sera une levée de terre, une motte féodale, elle aussi entourée d'une palissade de planches assemblées, au sommet de la motte, une tour en bois capable de tenir face à un assaut.

Le château de Coucy (Aisne) : reconstitution de Viollet-le-Duc.

Ces *castella* reconstruits en pierre assureront la protection des populations proches, d'où la naissance des premières villes : autour du château des Comtes (1043) la ville de Gand à la confluence de la Lys et de l'Escaut ; sur la Deûle à Lille, le château de Courtrai ; sur la Somme, la forteresse de Picquigny ; dominant la voie qui mène de la vallée de l'Ailette à l'Oise, le château de Coucy (1230-1242) ; sur l'éperon qui surveille la vallée de la Grouche, le château de Lucheux, construit par le comte de Saint-Pol dans les années 1130 ; le château de Nesles construit par Robert III de

Dreux en 1226 dont il ne reste qu'un étonnant donjon aux murs épais de 13 mètres ; en bordure de la voie romaine d'Arras à Boulogne, le château d'Olhain construit fin XIIe siècle et remarquablement conservé… sans oublier, face aux dangers de la mer, Bergues, Boulogne, Montreuil, Le Crotoy et Saint-Valery.

"Roi ne suis, ne prince, ne duc, ne comte aussi, je suis le sire de Coucy". Ces chevaliers capables d'organiser la défense du territoire sont de véritables chefs de guerre dont l'honneur n'accepte pas toujours l'allégeance à quiconque fût-ce au roi. Maîtres sur leurs terres et en leurs châteaux, ils construiront des murailles toujours plus hautes et des donjons inexpugnables. Il n'est que de visiter les ruines du château de Coucy (ce qu'il en reste) pour comprendre l'orgueilleuse devise de la maison de Coucy.

Viendra le temps des guerres sans fin qui, sur les frontières de la Flandre, de l'Artois, du Hainaut et de la Picardie, opposeront les armées françaises, espagnoles, autrichiennes, allemandes et anglaises. L'artillerie et l'art de la guerre transformeront ces points de défense en citadelles, comme à Lille, Bergues, Cambrai, Le Quesnoy, Douai, Valenciennes, Avesnes… Combien de fois a-t-il fallu reconstruire murailles et maisons, greniers et églises ? Combien de jours de siège a-t-il fallu tenir ? Combien de sacs de la ville se sont terminés dans l'horreur, les saccages et la mort ? Aujourd'hui, ces châteaux forts, témoins de notre histoire et de l'héroïsme de nos ancêtres, font partie intégrante du patrimoine de nos pays du Nord.

1112

Insurrection communale à Laon

"Laon est la capitale du Royaume et son église la plus florissante des Gaules", ainsi l'écrivait Guilbert de Nogent, abbé de Nogent-sous-Coucy.

Deux pouvoirs y cohabitaient : près de la porte d'Ardon, le palais royal et la tour du Roi avec ses fonctionnaires et dignitaires, et près de la porte Germaine, la cathédrale, le palais épiscopal et le cloître ; enfin, vers l'ouest, le bourg avec ses artisans et commerçants, son quartier juif et ses étrangers. Entre le roi et l'évêque, c'est la haine. Louis VI, dit le Gros, était certes courageux à la guerre mais surtout cupide. Pour l'argent il était prêt à tout renier sans respect ni honneur.

C'est ainsi que la charge épiscopale était attribuée au plus offrant. Lorsque l'évêque Enguerrand mourut, emportant dans la tombe une réputation de scandale, plusieurs dignitaires de Laon se proposèrent pour rétablir l'honneur de l'Église. Hélas ! ce fut Gaudry riche en or et argent qui fut choisi. Son entrée solennelle annonça la suite des événements : la cité découvrait un amateur de chiens, chevaux et oiseaux de proie. Les années qui suivirent furent marquées par les meurtres, les parjures, la simonie et la fausse monnaie. La rapacité de l'évêque Gaudry était telle que le travail cessa, commerçants et artisans fermèrent leurs auvents ; quant aux bourgeois, ils se réunirent et jurèrent d'en finir.

"Commune... Commune..." La révolte éclata dans l'après-midi du jeudi de Pâques 1112. Passant par la crypte de la cathédrale, les émeutiers pénétrèrent dans l'évêché armés de cognées, massues et lances. L'évêque fit pleuvoir les pierres du haut des murs, mais les assaillants prirent le dessus. Gaudry voyant venir la défaite tenta de se cacher dans un tonneau... personne ne l'y trouverait !

Maîtres du palais épiscopal, restait aux émeutiers à retrouver Gaudry. Introuvable. Finalement les recherches aboutirent au cellier : un à un les tonneaux furent inspectés. Gaudry découvert fut traîné par les cheveux jusqu'à la ruelle rouge (actuelle rue des Templiers) et c'est là qu'une hache lui brisa le crâne.

Palais épiscopal, églises et monastères s'embrasèrent dans la nuit. Clercs, religieuses et bourgeois s'enfuirent vers les vignes, espérant y trouver refuge. Les fidèles de Gaudry furent poursuivis, leurs maisons pillées. La cité resta longtemps désertée ou presque, comme maudite par les horreurs qui s'y étaient étalées. Le nouvel évêque Barthélemy et les chanoines rescapés organisèrent une grande procession du trésor sauvegardé : à Nesle, Arras, Rouen, et même à Douvres, Canterbury, Winchester, Bristol, les précieuses reliques attiraient les foules. L'argent recueilli permettrait bientôt la reconstruction de la cathédrale incendiée.

L'ordre revenu, le roi accorda sa paix et avec la paix la cité obtint en 1128 sa charte communale.

1125

Naissance de l'ogive : Beauvais, Airaines, Lucheux, Morienval

Où donc serait née la première voûte d'ogives ? Faut-il la découvrir dans le collatéral de la nef de Saint-Étienne de Beauvais, la nef d'Airaines, le chœur de Lucheux, le chœur d'Avesnes-le-Comte ou le déambulatoire de la belle église de Morienval, où la croisée d'ogives de la voûte s'appuie sur d'épais boudins ?

À partir des années 1050, une évolution architecturale s'annonce à l'abbatiale Saint-Bertin de Saint-Omer, dans la construction des cathédrales romanes de Cambrai et d'Arras et, plus tard, dans les années 1125-1140, lorsque s'élèvera la nef de la cathédrale de Tournai.

À la même époque, dans le nord de l'Angleterre, un nouveau style présidait à la construction de la cathédrale de Durham, ainsi qu'à celle de l'abbaye de Lessay, près de Coutances, entièrement voûtées d'ogives, les murs de soutien conservant leur forte section : la structure romane des édifices religieux n'est pas oubliée.

L'art gothique semble répondre à une pensée religieuse nouvelle : le Verbe est Lumière, Dieu est Lumière, toute chose créée est lumière, à chaque fidèle revient le devoir de se placer dans le rayonnement de la Lumière divine. L'ogive et plus tard l'arc boutant ne sont là, semble-t-il, que pour faire apparaître cette lumière et faire disparaître la paroi et animer le mur.

La cathédrale gothique devient peu à peu une armature dont les verticales s'élancent droit vers le ciel et sur laquelle s'accrochent les verrières où éclateront les rouges, les bleus, les verts et les jaunes. Plus qu'un décor, la fenêtre est un livre ouvert à la lumière où chantent les plus belles histoires de la Bible, de la création du monde aux plus humbles travaux quotidiens, des miracles aux saints comme aux arbres, aux fleurs et aux animaux.

On assistera à une formidable "floraison gothique" : à Paris, Notre-Dame fut mise en œuvre en 1163, en 1191 l'évêque et le roi procédaient à la dédicace de la cathédrale de Senlis, à Noyon, les travaux commencèrent en 1150 pour se terminer en 1200, à Laon, aux lendemains de l'émeute qui souleva la cité contre son évêque Gaudry, les travaux de construction de la nouvelle cathédrale furent entrepris en 1155 pour se terminer vers 1185.

Suivront, au XIIIe siècle les grandes cathédrales classiques : Soissons d'abord, Amiens ensuite élevée en soixante-dix années à peine et considérée comme l'église ogivale par excellence, harmonieuse, vaste et jaillie de terre d'un seul jet (1222-1288). Viendront plus tard les performances exceptionnelles de Beauvais et la grandeur majestueuse de la collégiale de Saint-Quentin.

Il nous faut saluer ces hommes de foi d'un autre temps, ces maîtres d'ouvrage et maîtres d'œuvre, ces tailleurs de pierre, maçons, gâcheurs de mortier, sculpteurs et imagiers, ces charpentiers, plâtriers, couvreurs et plombiers, forgerons et serruriers, ces artistes verriers venus de partout avec comme seule volonté et unique désir de participer à la création de ces chefs-d'œuvre.

"Nous ferons une cathédrale si grande que ceux qui la verront achevée croiront que nous étions fous", écrivait un chanoine de la cathédrale de Séville en 1402 !

1127

Assassinat de Charles le Bon à Bruges

Violences à Laon où l'évêque est mis à mort par la population soulevée contre lui, violences à Bruges où Charles le Bon, comte de Flandre, est assassiné en pleine église. Gautier de Thérouanne et Galbert de Bruges nous ont rapporté par le détail ce règlement de comptes.

Charles le Bon essayait par tous les moyens de faire régner sur ses terres la justice et la paix : le peuple l'aimait, par contre certains notables ne le supportaient plus. Le prévôt de l'église Saint-Donat en particulier avait été fermement châtié pour ses excès qui avaient provoqué une véritable révolte paysanne dans la région d'Ypres.

Burchard, le neveu du prévôt, profita d'un moment où le comte était en prière pour l'assassiner. Il fut rattrapé dans sa fuite et subit le supplice de la roue en place de Lille. Quant au prévôt Bertulf, il fut exécuté lui aussi.

Restait à régler la succession de Charles le Bon. Parmi tous les barons et seigneurs, ce fut Guillaume Clinton qui fut choisi par le roi de France Louis VI, plutôt que

Thierry, comte d'Alsace. Le roi et le nouveau comte de Flandre firent leur entrée solennelle à Lille, Bruges et Gand, à Béthune, Thérouanne et Saint-Omer. À cette occasion, Saint-Omer obtint sa charte communale, une des plus anciennes des villes du nord de la France.

Ici encore, la violence de la lutte entre les deux prétendants dura plusieurs mois, qui se passèrent en sièges et en batailles. Finalement, Guillaume Clinton trouva la mort en conduisant le siège devant Alost (1128). Dès lors, Thierry d'Alsace devint comte de Flandre et toutes les grandes villes lui ouvrirent leurs portes (1128-1168).

1128

Réunion du Temple sur le mont Cassel

Le mont Cassel n'a rien d'une petite colline ordinaire, ses 176 m d'altitude ne font pas une montagne. Pourtant, les Romains, qui s'y connaissaient, l'avaient choisi pour y implanter leur base avancée au cœur du réseau routier d'alors : sept voies romaines partaient d'ici en étoile. Plus tard, Normands, Flamands, Français, Anglais, Espagnols et Allemands se disputeront ce mamelon haut placé, cette poignée de boue jetée là, selon la légende, par le géant Reuze Papa.

Certains spécialistes de notre histoire ancienne ont découvert que l'ordre du Temple a tenu ici quelques-unes de ses réunions les plus secrètes et les plus solennelles. Les archives confirment que le 23 septembre 1128,

Hugues de Payns, Godefroy de Saint-Omer et Payen de Montdidier ont rencontré en l'église Saint-Pierre de Cassel Thierry d'Alsace, comte de Flandre, et ses barons. Se sont-ils entendus sur la politique à suivre pour les pays flamands pris en tenaille entre les revendications des rois de France et d'Angleterre ? On ne sait. Toujours est-il que l'on a vu ces éminences gravir à pied le Mont Sacré. Cherchaient-ils une inspiration ou tout simplement une direction à suivre parmi ces courants telluriques qui parcourent, dit-on, le mont Cassel ?

Bien des secrets dorment encore à Cassel. Les cryptes, les souterrains et les archives sont loin d'avoir tout révélé. Les chercheurs y ont encore de beaux jours devant eux !

1132

Fondation de l'abbaye de Vaucelles

Il y a 900 ans, au mois de mars 1098, Robert de Molesme et quelques compagnons arrivèrent au milieu d'une clairière entourée de marécages et de roseaux – Citeaux, disait-on dans le pays – c'est-à-dire la région des roseaux. Ces moines choisissaient délibérément un site écarté : importait avant tout l'eau, l'eau pure, une source ou une rivière d'eau vive, pour le reste, le bois et la pierre. Ils construiraient année après année les bâtiments nécessaires : une église pour y prier, une bibliothèque pour s'y instruire, lire et écrire, une infirmerie pour accueillir les malades et une grande salle pour s'y réunir tous, la salle du Chapitre. L'architecture respectait l'environnement géographique et mystique du lieu, l'espace naturel se faisait surnaturel, la solitude du lieu respectait le silence et la lumière.

Par quel miracle ce style de vie se propagea-t-il à travers l'Europe entière ? On pourrait s'en étonner. Toujours est-il que saint Bernard vint lui-même en nos pays du Nord pour y fonder la première abbaye cistercienne. Vaucelles naquit en 1132 au centre d'un vaste domaine offert par le seigneur de Crèvecœur, Hugues d'Oisy. D'autres abbayes suivront à Fontenelle, Loos, La Wœstine, Cercamp, Clairmarais, Blendecques, Longvillers, Valloires, Le Gard, Longpont, Vauclair, Ourscamp, Chaalis… et combien d'autres.

Souvent hélas ! seules nous restent des ruines, et si, trois fois hélas ! la plupart des bibliothèques de ces abbayes ont été brûlées, pillées et détruites, il faut saluer ces moines qui, à un moment crucial de notre histoire, ont sauvé les bases de notre civilisation occidentale en choisissant la paix plutôt que l'épée, la prière plutôt que la guerre, l'étude plutôt que l'ignorance, le travail plutôt que la main tendue, le spirituel avant le temporel, un idéal plutôt que le néant.

"Parmi les pères de notre espace rural, il faut citer les monastères. Dès l'époque mérovingienne les moines irlandais avaient ouvert, sur le territoire actuel de la France, de vastes clairières. Aux XIe, XIIe siècles, les grandes abbayes, entourées d'un peuple de convers, autrement dit de moines serfs, et de paysans vivant dans le siècle, ou séculiers, faisaient tomber des milliers de chênes, de hêtres et de sapins, pour y installer céréales et prairies. Leurs vastes connaissances agronomiques, leurs capitaux abondants ont créé des îlots de modernisation agricole." (E. Le Roy Ladurie, *Inventaire des Campagnes*.)

1150

L'âge d'or de la Picardie littéraire

"Ki le bien sait, dire le doit", écrivait Jakemart Giélée dès le premier vers de son œuvre. Il ne faisait que reprendre à son compte l'idéal de la plupart des écrivains de son temps. Les premiers écrits, les plus anciens qui nous soient parvenus, les manuscrits et les incunables qui font l'honneur des bibliothèques du Nord-Pas-de-Calais-Picardie, ce patrimoine échappé des désastres de la Révolution et des guerres n'a-t-il pas été conservé dans les scriptoriums des abbayes ?

Sans hésitation, dans son livre *La Forêt invisible, au nord de la littérature française, le picard*, Jacques Darras fait l'éloge de l'âge d'or de la Picardie littéraire : le Moyen Âge. Que cette littérature se soit évanouie dans l'oubli, qu'elle soit même ignorée de nos manuels de littérature, faut-il s'en étonner ?

Quelques noms et quelques œuvres sont à retenir absolument. Ils montrent l'évolution d'une langue qui prend ses sources dans un latin parlé dans l'Empire romain et qui, peu à peu, dérive vers une langue romane rustique. Quand, au XIIe siècle, on commencera à écrire cette langue vulgaire propre aux régions situées au nord de Paris, on ne fera que constater une vie culturelle intense tournée en particulier vers le théâtre et l'histoire. Trois figures dominent cette production littéraire : Jean Bodel, Adam de la Halle et Froissart.

Jean Bodel, né à Arras à la fin du XIe siècle, est connu comme poète, auteur dramatique, auteur de fabliaux et de pastourelles. *Le Jeu de saint Nicolas* surtout l'a rendu célèbre. Alors qu'il se préparait à partir en Terre sainte avec la IVe croisade, la lèpre le frappa, il fut contraint à l'isolement. C'est alors qu'il écrivit ses *Congés* en 492, vers dignes et émouvants, il fit ses adieux au monde, à ses amis et à ses protecteurs, se souvenant aussi des beaux jours vécus à Arras. Il mourut en 1210.

Adam de la Halle lui aussi était né à Arras. Il se fit connaître en 1276 lorsque fut représenté *Le Jeu de la feuillée* : il mettait en scène son personnage d'étudiant quittant Arras pour Paris ; auparavant il avait fait défiler sur scène la ville, ses personnages et leurs travers, la vie de la rue et des tavernes. La satire eut grand succès, il continua donc avec *Le Jeu de Robin et Marion* : on y parlait, chantait et dansait. Lui aussi écrivit son *Congé* en 176 vers et, plus tard, composa des chansons et des jeux-partis. C'est un personnage haut en couleurs, porté vers la satire et l'humour parfois féroce.

Jean Froissart est né à Valenciennes. Ses œuvres de jeunesse parlent d'amour : *Paradis d'Amour*, *Épinette amoureuse*, *Horloge amoureuse* et même *Prison amoureuse* !

Entraîné à la vie de cour, il deviendra le chroniqueur assidu des événements des années 1325 à 1375 : son regard et ses sympathies se porteront aussi bien vers la cour de France que vers l'Angleterre. C'est un vrai reporter avant la lettre donnant la parole aux témoins et présent chaque fois qu'il le pouvait sur les lieux d'un fait important.

À ces trois grands noms, il faudrait ajouter celui de Robert de Clari à qui l'on doit l'inestimable *Histoire de ceux qui conquirent Constantinople* écrite vers 1212. Son témoignage sur la IVe croisade, à laquelle il participa, décrit non seulement les combats mais aussi sa découverte de Venise et la prise de Constantinople par Baudouin IX, comte de Flandre élu par ses pairs empereur de Constantinople.

1179

Mariage de Philippe II, roi de France, avec Isabelle de Hainaut

Il n'a que quinze ans, Philippe II, que l'on ne surnommait pas encore Auguste, lorsqu'il est couronné le 1er novembre 1179. Tout jeune qu'il est, il a déjà prouvé son énergie à toute épreuve, son sens de la diplomatie et sa volonté bien affirmée d'agrandir son royaume par tous les moyens : le glaive, l'argent ou le mariage.

Premier obstacle sur son chemin : Henri II Plantagenêt, roi d'Angleterre qui tient sur le sol de

France un formidable territoire : de la Loire aux Pyrénées ce ne sont que forteresses et châteaux fortifiés, tel le Château-Gaillard admirablement situé sur une boucle de la Seine. Les conflits sont inévitables, ils s'étendront de l'Aquitaine à la Normandie et jusqu'aux côtes de la Manche et de la mer du Nord.

Malgré une trêve intervenue en 1200, la guerre reprendra : Philippe enlève la Normandie puis l'Anjou et le Poitou. Jean sans Terre s'en retourne en Angleterre ; ne lui restent que les îles : une véritable guérilla menée par Eustache le Moine au service de Jean sans Terre donnera du fil à retordre aux navires du roi de France. Cette situation nouvelle conduira les Anglais à fortifier les ports et les îles de la Manche et à mettre en chantier une véritable flotte de combat.

Les Pays du Nord sentent de plus en plus proche la pression du roi de France et c'est alors que se resserrent les liens entre l'Angleterre et la Flandre. Faute d'avoir les moyens de débarquer en Angleterre, Philippe Auguste sait désormais qu'il lui faudra enlever la Picardie, l'Artois et la Flandre. Pour aboutir, il usera du mariage, de l'argent et du glaive.

1188

Les Charitables de Béthune

"Huit cents ans après leur fondation, les Charitables sont toujours là, fidèles au message de Germon et Gautier, ces deux maréchaux-ferrants originaires de Beuvry et de Béthune, qui combattirent le fléau de la peste, dispensant aux malades les soins nécessaires, inhumant les morts. Quand une institution traverse ainsi les siècles avec la même philosophie, les mêmes objectifs, c'est que son fondement résiste à toutes les mutations et aux tourments de l'histoire. Ce fondement, c'est la solidarité."

Avec ces mots qui sonnent leur actualité, Jacques Mellick, maire de Béthune, inaugurait il y a dix ans l'exposition de la Chambre des Charitables, où était réunie une étonnante collection de tableaux et sculptures évoquant la fondation des Charitables en 1188.

Aujourd'hui, lorsque la télévision nous donne à voir les drames provoqués par les catastrophes naturelles, inondations, tremblements de terre, éruptions volcaniques ou guerres, des médecins et des infirmières se mobilisent pour soigner et enrayer les épidémies, des volontaires s'engagent pour acheminer des vivres, de l'eau et des médicaments.

Que se passait-il autrefois lorsque les grandes pestes touchaient les populations ? Imaginez le drame dans une famille lorsqu'un cas de peste se déclarait : les autorités de la ville faisaient clouer portes et fenêtres, enfermant de force le malade et ses proches condamnés à mourir de faim et de soif, isolés et sans sépulture. Là encore, des volontaires s'offraient pour les nourrir et leur porter à boire. Plus encore, ces Charitables s'engageaient à ensevelir dans la dignité ces morts qui faisaient peur. Plusieurs de nos villes et villages s'honoraient d'avoir une confrérie des Charitables.

À Béthune en particulier, le musée et la Chambre des Charitables conservent plusieurs tableaux et documents. Ils racontent l'histoire de la confrérie des Charitables de Saint Éloi qui, depuis l'an 1188 vient en aide aux pauvres et enterre les morts. Même pendant la Révolution, ils ont poursuivi leur œuvre. Aujourd'hui encore, à Béthune et dans une quarantaine de villages des environs, se perpétue cette tradition de charité. Les siècles passent, les Charitables, où qu'ils soient, restent et donnent l'exemple des valeurs de la solidarité.

XIIIe siècle

Les beffrois		47
1205	Mort de Baudouin IX, empereur de Constantinople	50
1213	L'année terrible	51
1214	La bataille de Bouvines	52
1214-1280	Gouvernement de Jeanne et de Marguerite de Flandre	54
1217	Eustache le Moine	56
1220	Notre-Dame d'Amiens	58
1225	Le "retour" de Baudouin IX, comte de Flandre	60
1250	La légende du sire de Créquy	61
1253	Guillaume de Rubrouck, envoyé royal	62

Les beffrois

Le 15 août 1280, un incendie détruisait le beffroi de Bruges, construit en bois. Rien ne fut sauvé des flammes, ni les archives communales, ni les chartes. Plus grave, le comte Guy de Dampierre refusant de renouveler ces chartes gouverna désormais sans tenir compte des droits anciens accordés aux bourgeois. Dès lors, les municipalités qui avaient obtenu leurs chartes communales prirent toutes les précautions possibles pour les protéger du feu, du vol ou de faits de guerre. Désormais les beffrois seront construits en pierre, les cloches communales accrochées à un échafaudage en bois pour amortir l'ébranlement provoqué par la sonnerie d'une ou plusieurs cloches, les chartes et privilèges enfermés dans un coffre fermé de plusieurs serrures et gardé dans une salle du beffroi.

Symbole des libertés acquises, le beffroi représentait, face au donjon seigneurial, un véritable rang féodal. Plus haut il était construit, plus d'importance prenait la cité. Lorsque le seigneur frappait, c'est au beffroi qu'il s'en prenait, soit en enlevant les cloches, soit en détruisant le couronnement, soit en le faisant abattre comme le décida le roi Louis IX avec le donjon de Boulogne en 1268.

Le beffroi réunissait les fonctions essentielles de l'organisation de la commune : à la cave, une prison communale ; au rez-de-chaussée, la garde communale ; au premier étage, une grande pièce où se réunissait le conseil communal, c'est là que se trouvait le coffre contenant les privilèges et les documents les plus importants ; au-dessus, la salle des cloches, chacune ayant sa fonction : annoncer le feu, appeler la population à se réunir si un danger menaçait, en cas de danger extrême, le tocsin ; enfin, tout en haut de la tour, une pièce où se tenaient les guetteurs qui se relayaient sur le chemin de ronde qui couronnait le beffroi.

Les plus beaux beffrois et les plus anciens sont de véritables reliques échappées aux destructions. Ils participent aujourd'hui à la vie quotidienne de nos cités en

Le beffroi d'Abbeville (le plus ancien de France), dessin d'Augustin Boulin, début du XIXe siècle.

sonnant les heures du jour et de la nuit, en mettant en branle leur carillon les jours de fêtes ou en sonnant le glas les jours de deuil. Ils accompagnent les traditions les plus inattendues comme à Comines où l'on jette des louches, à Dunkerque où l'on jette des kippers…

Rue, Douai, Béthune, Boulogne, Amiens, Abbeville, Saint-Riquier, Le Quesnoy, Saint-Amand, Pont-sur-Sambre, Hazebrouck, Dunkerque, Condé, Le Cateau, Calais, Bergues, Bailleul, Avesnes… peut-on imaginer ces cités chargées d'histoire sans beffroi ? Lorsque la guerre s'en mêle, on reconstruit, plus beau qu'avant, comme à Comines, Arras et Lille…

Ce n'est pas pour rien que la région Nord-Pas-de-Calais s'estdonné comme logo la silhouette d'un beffroi, le beffroi de Béthune, plantée au cœur de la Région.

1205

Mort de Baudouin IX, empereur de Constantinople

C'est à Bruges en 1201 que Baudouin IX, comte de Flandre et de Hainaut, né à Valenciennes, prit la croix, promettant de libérer la Terre sainte. L'année suivante, il quittait Valenciennes suivi des hommes de sa maison et rejoignait Venise. C'est à Venise que son destin se joue : choisi pour diriger les opérations armées de cette IVe croisade, il se voit contraint de combattre devant Constantinople pour rétablir Isaac II Ange sur son trône... On verra après pour Jérusalem.

En juillet 1204, Constantinople tombe entre les mains des croisés et Baudouin porté triomphalement dans l'église Sainte-Sophie est couronné empereur par l'envoyé du pape.

Quelques semaines plus tard, la comtesse de Flandre Marie de Champagne, à peine remise de la naissance de sa seconde fille Marguerite, prend la mer pour rejoindre son époux. Mais la maladie, la peste semble-t-il, lui enlèvera cette ultime joie. Quant à Baudouin de Flandre, devenu empereur de Constantinople, son règne s'achèvera prématurément l'année suivante devant les murs d'Andrinople, au cours d'une bataille hasardeuse. Sa fin tragique reste entourée de récits légendaires : comment est-il mort et où ?

Il laissait deux orphelines : Jeanne et Marguerite, princesses de Constantinople et comtesses de Flandre et de Hainaut.

1213

L'année terrible

Lorsqu'il aborde cette période de notre histoire, Alexandre de Saint-Léger parle de "l'année terrible".

Philippe d'Alsace devenu comte de Flandre (1161-1191) perd le Vermandois, Amiens et l'Artois. Dès la disparition de l'empereur de Constantinople (1205), Jeanne, fille aînée de Baudouin IX, grandit au Louvre sous la "protection" du roi de France. Il la marie à Ferrand, fils du roi du Portugal, moyennant quoi Philippe Auguste lui enlève Aire-sur-la-Lys et Saint-Omer. Les bandes armées ravagent les campagnes en Artois et en Flandre. Pendant ce temps une alliance se négocie dans le secret entre Jean sans Terre, Renaud de Dammartin, comte de Boulogne, l'empereur Othon et les Flamands. Le 4 mai 1212 cette coalition est officialisée à Lamehein près de Londres.

La confrontation est désormais inévitable. Sur mer d'abord : Jean sans Terre rassemble ses hommes, ses chevaux et ses bateaux car il sait que Philippe profitera de la première occasion pour débarquer en Angleterre. Le pape lui-même s'en mêle et pousse le roi de France et ses chevaliers contre le roi d'Angleterre excommunié pour son inconduite. Plus qu'une guerre, c'est une croisade !

Philippe réunit à Soissons barons et évêques. Manque à l'appel Ferrand, comte de Flandre : il réclame d'abord au roi de France restitution d'Aire et Saint-Omer. Le 8 mai 1213, à Boulogne, tout est prêt pour le débarquement :

une flotte de 1500 voiles est rassemblée. Le 22 mai, la flotte fait relâche à Gravelines. Entre deux, Jean sans Terre obtient du pape son pardon. Alors, plus de croisade ? Qu'à cela ne tienne !

Philippe tombe sur Cassel, Ypres, Bruges, Gand. Jean sans Terre envoie sa flotte au secours des Flamands. La flotte française, à l'ancre dans l'estuaire du Zwin, l'avant-port de Bruges, est prise au piège, capturée ou brûlée.

Pour le camp anglais, c'est une incontestable victoire maritime. La réponse du roi de France est terrible : Bailleul incendiée ; Lille, fidèle au comte Ferrand, résiste mais tombe, les maisons sont rasées ou brûlées, les habitants qui n'ont pas eu le temps de s'enfuir sont enlevés, faits prisonniers ou tués.

1214

La bataille de Bouvines

En cette fin d'année 1213, suite à toutes les exactions commises en Artois et en Flandre, après le sac de Lille surtout, une véritable coalition se met en place contre Philippe et la stratégie est arrêtée. Le roi Jean sans Terre débarquerait à La Rochelle avec 15 000 hommes pour se diriger vers Paris, attirant ainsi Philippe vers le sud ; en même temps le comte Ferrand – accompagné de Renaud de Dammartin, comte de Boulogne, et Othon IV, empereur d'Allemagne – attaquerait simultanément par le nord, encerclant ainsi les forces du roi de France.

Flairant le piège, Philippe laissa son fils Louis, comte d'Artois, face à Jean sans Terre et s'en revint à bride abattue à Péronne. La coalition menaçait sérieusement puisque, en quelques semaines, tombaient Aire, Saint-Omer, Guînes et Houdain. Pour le royaume le danger était pressant. À Péronne, Philippe rassembla ses armées et fit appel aux communes du nord : les milices arrivèrent de Crépy, Corbeil, Compiègne, Noyon, Soissons, Beauvais, Montdidier, Montreuil, Hesdin, Roye, Corbie, Amiens, Abbeville et Arras. Pour les accompagner, seigneurs et chevaliers étaient venus de toutes les provinces du royaume.

De Péronne, l'armée du roi arrivait à Tournai le samedi 26 et, dès le petit matin du lendemain, se déplaçait vers le plateau de Cysoing. En ce dimanche 27 juillet 1214, face à la coalition, Philippe avait rassemblé 20 000 hommes. Pensait-il se retirer ou avait-il choisi l'endroit idéal pour affronter en ordre de bataille une force coalisée trois fois plus nombreuse ?

Ni Othon, ni Philippe ne souhaitent engager la bataille un dimanche : on ne manie pas les armes le jour du Seigneur. Mais puisque les coalisés approchent, l'armée de France se déploie sur le plateau de Cysoing et attend. Lorsque Othon découvre le dispositif de bataille mis en place, l'effet de surprise est complet. Ce n'est pas une armée en fuite qu'il a devant lui, mais 20 000 hommes armés et rangés.

Face à face, au centre de chaque camp, le roi de France, Philippe, arborant l'oriflamme, et l'empereur Othon traînant sur un char son étendard et l'aigle impériale.

Engagée à midi, la bataille dura cinq longues heures au cours desquelles la victoire hésita d'un camp vers l'autre : Philippe tiré à bas de son cheval, protégé par les siens, fut remis en selle. Othon eut son cheval abattu sous lui, faillit lui aussi être touché, mais sautant sur un cheval frais réussit à fuir, abandonnant les siens.

Pour Philippe Auguste, c'est une victoire "fondatrice". Pour les coalisés, c'est le désastre : cent dix chevaliers captifs seront amenés à Paris et rançonnés. Renaud de Dampierre terminera ses jours enfermé à Péronne et le comte "Ferrand ferré sur la charrette" conduit à la prison du Louvre d'où il ne sortira qu'en 1227.

Pendant sept jours et sept nuits le peuple de Paris fit la fête et les cloches sonnèrent dans tout le royaume. Ainsi furent scellées "les noces du peuple et de la royauté" et "l'alliance du trône et de l'autel". (Ne pas manquer de visiter l'église de Bouvines et ses vingt et une verrières de 8 x 3,20 m, relatant les principaux épisodes de la bataille.)

1214-1280

Gouvernement de Jeanne et Marguerite de Flandre

Jeanne, comtesse de Flandre, n'a que 14 ans lorsque commence son règne en ces sombres jours de juillet 1214. Il durera trente-deux années, durant lesquelles ses actes révèleront un esprit avisé et un cœur généreux. La

Flandre et le Hainaut lui doivent un élan de prospérité économique et urbaine. Elle laisse des témoignages de sa générosité : l'hospice Comtesse élevé au cœur de Lille sur le domaine de son château, l'hôpital Saint-Sauveur à Lille, celui de Marquette, la léproserie de Mons, l'hôpital de la Byloque à Gand et le béguinage de Courtrai. La "bonne comtesse" disait-on, est morte à Marquette le 5 décembre 1244.

À la femme de devoir, courageuse et avisée, succède un personnage aux sentiments passionnés, souvent excessifs, toujours imprévisibles. Marguerite de Constantinople accède au pouvoir à l'âge de 42 ans, elle est déjà veuve de son second époux et mère de sept enfants en vie, lesquels s'affronteront pendant vingt ans en luttes fratricides. Son fils préféré, Guillaume de Dampierre, désigné pour lui succéder, est revenu de croisade précédé d'une réputation de courage. À son retour, c'est la fête, le tournoi que tous attendent. Le combat commence : sous les yeux de sa mère, Guillaume est tué.

C'est la première d'une série d'épreuves qui la frapperont tout au long de son règne. À Bruges, où elle aime résider, elle surveille la construction du beffroi et des halles, le développement du port et du château, tout en tenant tête aux prélats, aux princes et aux rois. La "Dame de Pévèle" vient souvent se reposer en sa bonne ville d'Orchies. Elle laisse aussi parler son cœur en créant plusieurs fondations : à Seclin en particulier, elle fonde un hôpital pour accueillir pèlerins, malades et indigents.

La comtesse de Flandre se retira à l'abbaye Notre-Dame de Flines. Elle y mourut le 10 février 1280 à l'âge de 78 ans.

Quel est donc le politicien qui déclara un jour : "Lorsqu'une femme a le pouvoir en main, elle mène les affaires avec deux fois plus d'efficacité qu'un homme" ?

1217

Eustache le moine

Le 24 août 1217, à la Saint-Barthélemy, Eustache le Moine conduisait la flotte française vers Londres. Un vent debout poussait vers l'estuaire de la Tamise quand tout à coup, au loin, la flotte anglaise apparut, seize navires bien armés accompagnés d'une vingtaine de barques. Ils avançaient en oblique comme si leur route les conduisait vers Calais. Mais le vent tomba et ils virèrent lof pour lof tout droit vers la flotte française, jetèrent les grappins, coupèrent les câbles qui tenaient les mâts, et les voiles tombèrent sur les équipages "comme un filet sur des petits oiseaux". Parmi eux, Eustache le Moine. La prise était tellement belle et inattendue qu'il eut, sur-le-champ, la tête tranchée.

Retour à la côte anglaise. Tout le peuple se rassembla à l'annonce de la nouvelle : l'armée, le peuple et les évêques. Tous voulaient voir la tête d'Eustache plantée en haut d'une pique. Elle serait promenée par toute l'Angleterre.

Incroyable histoire révélée au siècle dernier par un archiviste à la tour de Londres. Eustache, que l'on nommait aussi Witasse le Moine, est né semble-t-il dans le Boulonnais, dans la vallée de la Course. Il fut tour à tour moine, magicien, brigand, pirate, corsaire et mercenaire, successivement au service des deux ennemis jurés du moment, Philippe Auguste et Jean sans Terre. À une époque où l'histoire enrichie de légendes nous a laissé le nom d'un Robin des Bois hors-la-loi sans doute, mais défenseur du droit et des humbles, Witasse semble se mettre du côté du plus fort mais aussi de celui qui paie le plus et le mieux.

Un trouvère picard a conté son histoire en plus de deux mille vers. Né de famille noble, il entre au couvent de Samer, voyage en Espagne puisqu'on le signale à Tolède, apprend l'assassinat de son père, revient pour réclamer justice, met son épée au service de Renaud de Dammartin, comte de Boulogne. Situation extrêmement délicate quand on sait que Renaud est tenu de rendre hommage tant au roi d'Angleterre Jean sans Terre qu'à Philippe, roi de France.

Eustache se trouvera ainsi dans le camp des uns et des autres, guerroyant à Sangate, Clairmarais, Bazinghem, Hardelot et Boulogne, ou dirigeant la flotte de Philippe vers Gravelines, Bruges et le Zwin où elle sera détruite par la flotte anglaise. Aimé et honni, craint et recherché pour son audace, il finira comme prévu :

"Le diable dit qu'il vivrait
Jusqu'à ce qu'il ait fait assez de mal

Que rois et comtes guerroieraient
Et sur la mer il périrait."

De cette étonnante aventure restera pour longtemps dans l'histoire de France une crainte de la mer et un repli sur une défense terrestre. Pour l'Angleterre au contraire, Jean sans Terre a découvert son isolement, son insularité. Il se verra obligé de protéger les ports de la Manche et de se doter d'une flotte marchande et d'une flotte de guerre en vue d'assurer ses relations commerciales avec l'Aquitaine, la Flandre et la Germanie.

1220

Notre-Dame d'Amiens

Près de huit cents ans après sa mort, le visiteur découvre le gisant de bronze coulé d'une seule pièce d'Évrard de Fouilloy, évêque d'Amiens de 1211 jusqu'à sa mort en 1222. Il fut l'initiateur de ce qu'il faut bien appeler la plus belle cathédrale gothique de France. Plusieurs circonstances concordent : une paix politique qui aboutit à la Grande Charte accordée à la commune en 1185, un essor de la population accompagné d'une extraordinaire expansion économique et des relations commerciales avec les villes flamandes et anglaises. Fait majeur, au lendemain de la prise de Constantinople par les croisés, en 1204, Wallon de Sarton, chanoine de Picquigny, revient à Amiens en apportant "le chief de monseigneur saint Jean-Baptiste". Pour abriter dignement ce trésor les Amiénois décident de construire "la plus belle, la plus grande, la plus haute" église de France. (Plus tard, seul le chœur de Beauvais sera plus haut.)

La première pierre est posée en 1220. Le gros œuvre sera terminé en 1288. Sous la direction de Robert de Luzarches, puis de Thomas et Renaud de Cormond, tous les grands métiers du moment firent merveille, mais aussi la foi, cette foi qui s'exprime partout : les sculptures des tympans, les verrières, les stalles. D'infimes détails invisibles mais présents ici et là : la signature d'un maître tailleur, la tête "autoportrait" d'un sculpteur, et jusque dans les combles lorsque l'on découvre l'étonnant équilibre de la charpente de la flèche réalisée par Louis Cardon de Cottenchy : quelle foi et quelle audace !

Mais aussi quel équilibre entre foi et raison. Chaque détail participe à la perfection de l'ensemble. Pour John Ruskin, la cathédrale, c'est la Bible, "la Bible d'Amiens".

1225

Le "retour" de Baudouin IX, comte de Flandre et de Hainaut

Drôle d'histoire, écrirait la Presse d'aujourd'hui ! De ce drame qui se déroulait chez nous en 1225 nous est resté un récit à la limite du conte et de la légende.

Quittant son ermitage de la forêt de Glançon pour quémander son pain à Mortagne, près de Valenciennes, un mendiant se fait interpeller par un gentilhomme de passage... Sous la bure, sous les guenilles, serait-ce Baudouin ? L'empereur Baudouin ? La rumeur se répand... Le mendiant est extrait de son ermitage, entouré, conseillé, promené à Valenciennes, reconnu, applaudi à Lille par un peuple en liesse, puis à Gand, Bruges et partout en Flandre. La comtesse Jeanne est obligée de chercher refuge à Mons...

Que se passe-t-il ? Que doit-elle faire ? Qui est ce moine-mendiant ? Les conseillers de Jeanne lui proposent d'en appeler au roi de France, Louis VII, son suzerain. Celui-ci envoya à "Baudouin" une délégation l'invitant à le rencontrer au château de Péronne. La rencontre eut lieu le 30 mai 1225. Notre "empereur" eut bien du mal à conter la dernière bataille, la prison, la fuite, le marché d'esclaves en Syrie et son évasion ; plus difficile encore de répondre aux questions de l'évêque de Beauvais, celui-là même qui bénit le mariage avec Marie de Champagne. Comme la soirée touchait à sa fin, il s'excusa, prit congé et se retira. Il disparut dans la nuit. On le retrouva quelques semaines plus tard menant grand train à Rougemont en Bourgogne.

Arrêté, il avoua qu'il n'était ni Baudouin ni empereur. Il avait été poussé dans son rôle par quelques gentilshommes en mal d'aventures. Il était ménétrier de son état, puis comédien, et finalement ermite. Ramené en Flandre, Jeanne le fit promener partout où il avait été reçu dans la liesse et partout il eut à redire sa fourberie.

L'histoire du "retour" du faux Baudouin se termina à Lille où il fut jugé, étranglé et pendu entre deux chiens devant la halle échevinale.

Malgré toutes les preuves dignes de foi, une rumeur court toujours : Jeanne, comtesse de Flandre et de Hainaut, n'aurait-elle pas sciemment fait disparaître son père pour garder le pouvoir ?

1250

La légende du sire de Créquy

Combien d'histoires enjolivées par la légende commençaient par ces mots magiques… "Il était une fois…". Par ces mots il me faut commencer la belle histoire du sire de Créquy.

Il était une fois aux sources de la Créquoise, affluent de la Canche, un petit bourg, fief depuis toujours de la famille des Créquy. Aux temps des premières croisades, le jeune seigneur de Créquy n'écoutant que sa piété se joignit au long cortège des seigneurs, barons et comtes qui se rendaient en Palestine pour libérer les lieux saints. Il laissa sa jeune femme et les siens, assuré qu'il était d'un retour prochain. Le voyage fut long et périlleux. La mort attendait les croisés tout au long du chemin, le froid et la maladie, la faim et la soif, les batailles surtout, rapides et meurtrières. Le sire de Créquy fut fait prisonnier au cours de la bataille de Mansourah en 1250… Et le long de la Créquoise on l'oublia… N'était-il pas mort comme beaucoup d'autres ?… Et sa jeune veuve, que les beaux partis assiégeaient, ne demandait sans doute qu'à succomber… Jusqu'au jour où, enfin, conseillée par les siens, elle décida de se remarier. Les préparatifs d'une fête sans pareille dans la vallée allaient lui faire oublier tous ses chagrins. Le grand jour enfin arriva…

Et avec le jour qui se levait, du plus loin de la vallée, on vit arriver celui que tous avaient oublié, gris de fatigue et de poussière, le sire de Créquy était là… Les cloches sonnaient et le bon peuple de la vallée de la Créquoise retrouvait son héros.

1253

Guillaume de Rubrouck, envoyé royal

En cette première moitié du XIIIe siècle, pour l'Occident, le danger vient de l'est. Depuis quelques années la menace mongole plane : le déferlement a frappé la Perse, le royaume turc, Moscou et Kiev, jusqu'en Pologne et en Hongrie. On tremble à Vienne, à Rome et même à Paris. D'un coup, l'invasion cesse : que se passe-t-il ? La mort du Grand Khan Oegödaï en 1241 entraîne une réunion de tous les chefs mongols, il doivent élire un nouvel empereur.

Ce répit, le roi Louis IX le met à profit pour envoyer une mission en Mongolie : c'est un échec diplomatique frisant le camouflet. Louis est à Acre où il passe quatre années à organiser l'administration et la défense. C'est au cours de ce séjour qu'il désigne Guillaume de Rubrouck pour diriger une nouvelle mission en Mongolie auprès du Grand Khan.

Né à Rubrouck, près de Cassel, vers 1215, c'est en flamand qu'il grandit, en latin qu'il étudie et en français qu'il prolongera ses études à Paris. Le jeune franciscain est envoyé à Chypre puis en Terre sainte. Le roi Louis IX, qui s'y trouvait, lui confie des lettres à remettre aux chefs mongols et au Grand Khan lui-même.

Le voyage de Guillaume commence en juin 1253 : au départ de Constantinople, il aura 8 000 km à parcourir à cheval, à pied, dans la chaleur torride des déserts ou des froids à fendre les pierres, les dangers seront quotidiens, la nourriture étrange, les langues nouvelles. Quel voyage ! Guillaume et ses compagnons arriveront à Karakorom en décembre. Ils découvriront l'incroyable palais transhumant, l'étonnante yourte de feutre noir dressée dans la neige du désert de Gobi. C'est là que Guillaume rencontrera le Grand Khan Güyük et lui remettra le message du roi de France. De longues semaines de disputes théologiques suivront, des prières, des cérémonies. Certains historiens vont jusqu'à dire que le Grand Khan était proche d'une adhésion au Dieu des chrétiens.

À la veille de son retour, le 5 janvier 1254, le Grand Khan dira à Guillaume : "Ne craignez rien..." Guillaume lui répondra en chuchotant : "Si j'avais peur, je ne serais pas venu..."

Au mois de juin 1255, Guillaume et ses compagnons sont de retour à Antioche. Fidèle jusqu'au bout à sa mission, frère Guillaume rassemble ses notes et rédige à l'attention du roi une relation écrite de sa mission. Texte riche de ses observations géographiques, historiques, religieuses, ethnologiques et politiques.

Vingt ans après le retour de Guillaume, Marco Polo s'en ira lui aussi vers l'Asie et la Chine... jusqu'à Pékin où il restera dix années.

XIVe siècle

Que sont nos moulins devenus ?		67
1302	Les "Matines brugeoises" et la bataille des Éperons d'or	70
1346	La guerre de Cent Ans	72
1348	La peste noire	74
1358	La Jacquerie	77
1384	Philippe le Hardi, comte de Flandre	78
1385	Lille, capitale	80

Que sont nos moulins devenus ?

La bibliothèque municipale de Valenciennes conserve précieusement une enluminure du *Calendrier-Obituaire de Notre-Dame-des-Prés* où l'on voit, admirablement peints, le meunier, son fils et l'âne apportant les sacs de blé au moulin, un moulin en bois sur pivot vertical, les ailes face au vent (le document est daté 1270). À la question de savoir à quelle époque les moulins ont pris possession de nos paysages, les réponses sont nombreuses et évasives, mais les dernières recherches nous font savoir qu'"en 1189, lors du siège d'Acre, les croisés, sous le commandement de Philippe Auguste et de Richard Cœur de Lion, construisirent sur place un moulin à vent afin de pourvoir à leurs besoins en nourriture. À sa vue, les Arabes furent pris de panique et s'enfuirent" (in *Travailler au moulin*). À leur retour au pays, les moulins existaient certainement mais restaient la propriété des seigneurs et des abbayes.

Dans les pays du Nord, une difficulté majeure était à surmonter : les vents dominants changent de direction. Il fallait donc trouver le moyen de maintenir les ailes face au vent… Deux solutions à ce problème : soit le moulin tourne sur un pivot vertical comme à Boeschèpe, Ascq, Cassel, Saint-Maxent, Hondschoote, Naours… soit seule la calotte du moulin portant les ailes se met face au vent comme à Leers, Templeuve, Offekerque, Moringhem…

Que sont-ils devenus les trois cents moulins et plus, encore en état de marche dans le Pas-de-Calais en 1920 ? Oubliés, en ruine ou tout simplement détruits pour laisser place à un programme de construction. Hélas ! il faudra attendre les années 1970 pour voir les passionnés des moulins mettre en place l'Association régionale des Amis des moulins du Nord-Pas-de-Calais dont le siège se trouve à Villeneuve-d'Ascq. Sous la direction de Jean Bruggeman, plus de vingt moulins à vent et plusieurs moulins à eau ont été restaurés.

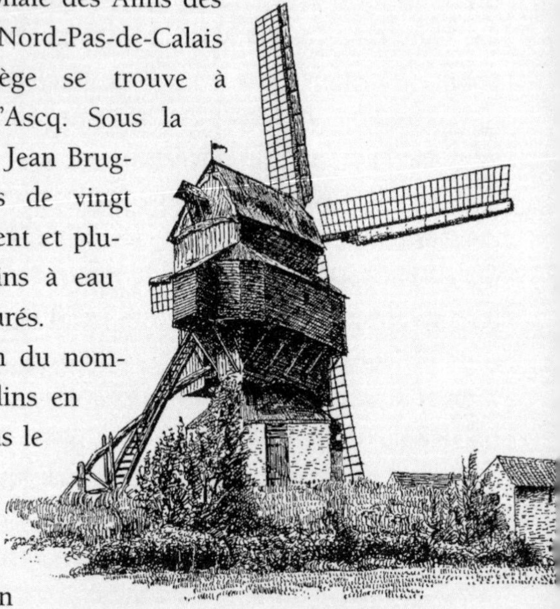

L'évolution du nombre de moulins en fonction dans le seul département du Pas-de-Calais est un témoin extraordinaire de l'économie de la région : 883 moulins à la fin du XVIIIe siècle, 1 333 dans la première moitié du XIXe siècle, 325 en 1917. Il est certain que la ligne de front de la guerre 1914-1918 a été destructrice des villes et villages et du potentiel industriel de la région. Les moulins à vent, comme toujours, de par leur situation isolée et élevée, étaient la cible préférée des artilleurs. En réalité, la régression des moulins avait commencé bien avant la guerre : le vent et l'eau se voyaient progressivement remplacés par la vapeur et

Moulin de Hondschoote, dans le Nord (dessin de Jean Bruggeman).

l'électricité. Autre raison, les captations d'eau dans les rivières ou aux sources, pour alimenter en eau les villes et les industries de plus en plus assoiffées provoquaient une baisse générale du débit des rivières.

Si bien que, année après année, les moulins industriels ont installé les machines à vapeur comme énergie d'appoint. Ensuite, c'est le gaz et l'électricité qui ont pris le relais. Les moulins à eau qui produisaient surtout du papier, des poudres à canon ou autres restaient sur le site, au fil de l'eau, mais l'eau se voyait remplacée par la vapeur, le gaz et l'électricité. Seuls quelques moulins à vent qui assuraient la production de la farine faisaient de la résistance… Hélas ! plus pour longtemps.

La Commission des Monuments historiques classe, restaure et protège ces derniers témoins d'un patrimoine disparu : Coquelles, Louez-les-Duisans, Offekerque, Saint-Martin-au-Laert, Beuvry, Guemps, Wimille, Rumilly, Wissant, Esquerdes… Hier sources d'énergie, nos moulins aujourd'hui interrogent les mémoires.

1302

Les "Matines brugeoises" et la bataille des Éperons d'or

Matines, selon le Littré : "Première partie de l'office divin, qui se dit ordinairement la nuit".

Aux petites heures de ce 17 mai 1302, la cité de Bruges était encore plongée dans la nuit, la brume montait des canaux et se répandait de ruelle en ruelle. On rêvait des fêtes passées : le roi de France, Philippe le Bel lui-même, était venu sceller à jamais son alliance avec les "leliaerts", partisans d'une Flandre plus proche de la France que de l'Angleterre. C'était sans compter avec le réveil des "klauwaerts" (allusion aux griffes du Lion de Flandre), le petit peuple et la petite bourgeoisie des villes flamandes : ils voulaient participer au gouvernement de leurs cités.

Les "matines brugeoises" débutent dans la nuit. La tradition rapporte que celui qui ne prononçait pas correctement ces mots : "*schild en vriend*" (bouclier et ami) était considéré comme ennemi. La garnison française fut ainsi massacrée en plein sommeil. Le gouverneur Jacques de Châtillon n'eut que le temps de fuir, abandonnant 1500 morts et 100 prisonniers. Il trouva refuge derrière les murs de Courtrai où se regroupèrent les troupes de Guy de Namur, fils du comte de Flandre.

Philippe le Bel se doit d'intervenir. Le 8 juillet son ost campe dans la campagne aux abords de Courtrai. La confrontation sera rude. Venus d'Artois, de Picardie,

Normandie, Champagne et Flandre (les leliarts), les chevaliers français amènent les gens de leur "maison" : les arbalétriers et les fantassins sous le commandement de Jacques de Châtillon et de Robert d'Artois.

Face à la chevalerie française, les fidèles du comte de Flandre, Roger de Lille, Didier de Hondschoote, Siger de Bailleul, Gérard de Roubaix et bien d'autres, et les milices flamandes avec à leur tête Guy de Namur, Guillaume de Juliers, Jean de Renesse et des chevaliers accourus du Namurois, du Brabant et même d'Allemagne. Parmi les fantassins, tout un peuple venu de Gand, Bruges, Damme et des campagnes environnantes. La bataille qui s'engageait allait donc départager les tenants du roi de France, leliaerts contre klauwaerts. Les premières attaques commencent à l'heure du midi, le terrain est marécageux, coupé de fossés et de ruisseaux. La cavalerie française se trouve au centre du combat, essayant de rompre le front flamand protégé de plançons à picot (longues piques terminées par une pointe de fer : *goedendags* en flamand). Les flèches flamandes "obscurcissaient le ciel", frappaient chevaux et cavaliers qui tombaient emmêlés dans la boue. "Tuez tout ce qui porte éperons !"

Robert d'Artois et Jacques de Châtillon sont touchés à mort, 68 princes et seigneurs et 1 100 chevaliers périrent : 700 éperons d'or, tels des trophées, ornèrent les voûtes de l'église Notre-Dame de Courtrai. La bataille des Éperons d'or, toute l'Europe en entendra parler.

Un an plus tard, c'est à Mons-en-Pévèle que Philippe essaya de régler ses comptes avec les Flamands. Cent mille hommes se retrouvèrent engagés dans une bataille sans vrai vainqueur. Les Flamands y perdirent leur chef, Guillaume de Juliers. Le traité d'Athis-sur-Orge obligea Lille, Douai, Ypres, Gand et Bruges d'abattre leurs murs de défense. De plus Lille, Douai, Béthune, Cassel et Courtrai restaient entre les mains du roi de France.

Pendant des décennies encore, Flandre, Artois et Picardie seront ainsi partagés, divisés, rançonnés par leurs voisins, qu'ils viennent du sud, de l'ouest ou de l'est. Pour exprimer cette situation, les historiens ont inventé une expression : "Terres de débats"...

1346

La guerre de Cent Ans

La bataille des Éperons d'or à Courtrai n'a rien réglé : Anglais, Flamands et Français négociaient et signaient accords et traités, mais tout au long de la frontière incertaine du royaume de France, ce n'étaient que conflits sur terre et piraterie en mer. Ici et là s'organisaient des ligues menées par une petite noblesse qui ne demandait qu'à se libérer des contraintes d'où qu'elles viennent.

Le conflit entre la France et l'Angleterre reprend en 1337 lorsque Philippe VI s'empare de l'Aquitaine. En représailles, la Flandre est à nouveau soumise à un blocus par les Anglais. À Gand, privés de laine, leur matière première, les artisans se soulèvent à l'appel de Jacques Van Artevelde pour rallier l'alliance anglaise.

La guerre de Cent Ans commence en fait le 12 juillet 1346 lorsque Édouard III débarque à Saint-Vaast-la-Hougue, bien décidé de remonter vers le nord en pillant tout sur son passage, et d'enlever Calais au roi de France, rejoignant ainsi ses alliés flamands. Depuis dix ans, cette révolte des Flamands contre la France couvait, attisée par Guillaume d'Avesnes, comte de Hainaut, Zélande et Hollande. Décidé à faire valoir ses droits à la couronne de France, Édouard III est même venu à Gand en 1340 pour s'y faire proclamer "roi d'Angleterre et de France". Une dernière rencontre eut lieu entre Edouard III et Jacques Van Artevelde au port de l'Écluse où plus de 100 vaisseaux français venaient d'être pris, pillés ou brûlés. C'est au retour de cette entrevue que Van Artevelde fut massacré à la porte de sa maison à Gand par les tisserands révoltés !

Saint-Vaast-la-Hougue, Valogne, Carentan, Saint-Lô, Caen, Elbeuf, Poissy, Saint-Valery-sur-Somme, c'est ici qu'Édouard III et ses hommes trouveraient un gué qui leur permettrait de traverser la Somme et prendre la route du nord... la route de Calais. Quant au roi de France, il suivait Édouard III attendant le bon moment et le bon endroit pour attaquer. Il était à Abbeville lorsqu'il apprit qu'Édouard III s'était retranché aux abords de la forêt de Crécy. En ce 26 août 1346, l'orage menaçait. Chevaliers et fantassins arrivèrent dans le désordre sur les pentes de la forêt de Crécy pressés d'en découdre avec ce qui restait de la petite armée anglaise. Les archers gallois clouèrent au sol les assauts des chevaliers, les coutiliers firent le reste. En quelques heures,

1 200 à 1 500 chevaliers sont perdus, parmi eux Louis de Nevers, comte de Flandre, et plus de 3 000 hommes de pied. C'est un désastre.

Le roi qui voulait mourir dans l'honneur au milieu de la bataille fut retiré par les siens et emmené au château de Labroye : "Ouvrez, ouvrez, c'est la fortune de France !". Le lendemain, il s'en retournait vers Paris.

Édouard III continua sa route vers le nord : Montreuil, Boulogne, Wimille, Wissant, et le 4 septembre il arriva devant les murs de Calais. Le siège allait durer 11 mois : 700 navires anglais bloquaient le port. Lorsque Philippe de Valois se déciderait enfin à porter secours, il serait trop tard. Jean de Vienne et les défenseurs réduits à la dernière extrémité furent obligés de se rendre. Six bourgeois de Calais eurent à comparaître "nu-pieds et nu-chefs, en leur linge et draps, les harts au col, apportant les clefs de la ville...". Le "gentil roi d'Angleterre" eut pitié.

Pendant deux siècles, Calais, entre les mains des Anglais, restera la porte ouverte sur le Royaume de France.

1348-1350

La peste noire

"... Je ne me rappellerai jamais sans verser de larmes, cette année 1348 qui nous ravit ce que nous avions de plus cher, la mort trancha de sa faux impitoyable la vie des créatures les plus adorables. Aussi la postérité aura peine à croire qu'il fut un temps pendant lequel, sans les foudres du ciel, sans les feux terrestres, sans les guerres, l'univers entier fut dépeuplé sur toute sa surface... Heureux nos arrière-petits-fils qui n'auront pas vu ces calamités..." En ces termes, Pétrarque écrit sa complainte, la complainte de "la mort noire".

Que faire devant ces catastrophes qui frappaient régulièrement les populations impuissantes ? En 1315, le roi est à Lille puis à Courtrai, il s'en retourne à Paris après douze jours de pluies ; en 1316, c'est la famine ; en 1321 c'est le retour de la lèpre ; en 1325-1326 l'abondance est telle qu'on ne peut tout récolter, mais la sécheresse suit de près au point qu'on se bat pour voler l'eau. "De la famine et de la peste, délivrez-nous Seigneur !"

Durant l'été de 1348, la peste remonte de Paris vers le nord. Fin de l'automne elle est aux portes d'Amiens et frappe les villages en Artois, puis Aire-sur-la Lys et Béthune où quatre échevins sur six sont atteints. Venue d'Angleterre par Calais, la peste atteint la Flandre et Saint-Omer. Les historiens estiment que chez nous 32 % de la population sont touchés dans le Boulonnais et l'Artois. Pour la Flandre, on estime à un tiers les foyers atteints. Les villes surtout subissaient durement l'épidémie : à Tournai comme à Lille, "la tierce partie de la ville est vide". Chose étrange, il semble qu'une répétition mathématique ravive tous les dix ans l'épidémie latente : 1348... 1358... 1368... 1379. Les peurs n'étaient jamais éteintes.

Aucun remède, aucune médecine : la seule réponse venait de l'Église : la prière, le jeûne et la pénitence.

Punition divine, disait-on, il fallait obtenir le pardon de Dieu. Luther écrirait un jour : "Une peste est un décret de Dieu, un châtiment envoyé par Lui."

À Tournai, Gilles li Muisis, abbé de Saint-Martin, composa des prières à la Vierge Marie. Les chroniqueurs racontent même que l'on vit une image de la Vierge pleurer sur les malheurs qui frappaient la cité : d'où ces représentations de la Vierge vêtue d'une cape qu'elle ouvre pour abriter le peuple contre la pluie des "flèches de la pestilence". Dans plusieurs villes, on verra bientôt des cortèges de flagellants implorer le pardon de Dieu. À Béthune et dans la région, les Charitables soignaient les pestiférés et les enterraient dans la dignité. En temps de famine et pendant les guerres, ils intervenaient pour distribuer pain et nourriture pour les enfants, les vieillards et les pauvres.

La peste a frappé l'Europe entière, saignant toutes les populations, ne tenant aucun compte des frontières. Toutes les classes sociales étaient touchées : archevêques et chanoines, moines et clergé régulier, seigneurs, comtes, arbalétriers, artisans et petites gens. Il faut quand même souligner que plusieurs ordres religieux ont lourdement payé leur dévouement : chez les Frères prêcheurs, les Dominicains et les Franciscains, plus de la moitié a succombé à la peste.

1358

La Jacquerie

Séquelles des misères et de la pauvreté causées par la guerre de Cent Ans et la peste noire, la Jacquerie fut avant tout une révolte paysanne qui secoua l'Île-de-France, le Beauvaisis et la Brie. Tout avait commencé à Saint-Leu-d'Esserent, au sud de Creil, à la fin du mois de mai 1358. Une altercation sur le pont de l'Oise entre les carriers et quelques chevaliers qui menaient vers Paris un convoi de vivres dégénéra en bagarre puis en émeute et enfin en rassemblement populaire spontané qui s'en prit aux châteaux alentour, aux nobles et aux seigneurs, aux récoltes et même au cheptel. La révolte était violente, seigneurs, femmes et enfants en étaient les victimes, en particulier le comte Raoul de Clermont.

Aidée et encouragée par les bourgeois de Senlis et de Beauvais, par les bourgeois de Paris, en particulier Étienne Marcel, prévôt des marchands, la révolte se propagea comme feu de poudre. Cette alliance n'alla pas loin puisque les Parisiens subirent une sérieuse défaite à Meaux, tandis que les Jacques, réunis à l'ouest de Creil étaient massacrés à Mello : on parle de plusieurs milliers de victimes. La répression fut terrifiante : "les paysans périrent par le fer, la corde ou le feu à Clermont-de-l'Oise, à Roye, à Poix, à Gallefontaine et ailleurs".

Manquait à ce soulèvement une organisation, une stratégie et surtout un chef capable de fédérer le mécontentement des petits propriétaires face aux exigences exhorbitantes des nobles. À la fin du mois de juin, la brutalité de la répression avait eu raison de la révolte des Jacques.

1384

Philippe le Hardi, comte de Flandre

Certaines décisions pèsent de tout leur poids dans le déroulement de l'histoire. Ainsi le "dit" du roi Louis IX qui, voulant mettre fin à la querelle des Avesnes et des Dampierre, tous deux fils de la comtesse Marguerite, deux fois mariée et laissant en héritage la Flandre et le Hainaut, partagea la succession, donnant le Hainaut aux Avesnes et la Flandre aux Dampierre (1246 et 1256). Ce jugement de Salomon marque encore aujourd'hui notre histoire.

Autre décision capitale, le mariage de Philippe le Hardi, duc de Bourgogne, frère du roi Charles V, avec Marguerite, fille de Louis de Mâle, comte de Flandre. À la suite de ce mariage, le 25 avril 1369, les historiens parlent d'un "transport" de Lille, Douai, Orchies, de la main du roi en la main de Louis de Flandre. Certes, pour le roi de France, c'était une manière habile d'éviter de voir la fille du comte de Flandre se marier avec un Plantagenêt. Mais il mettait en place, par la même occasion, la future puissance bourguignonne.

Quant à la population ainsi "transportée" elle n'a qu'une crainte : voir ses libertés menacées par un pouvoir comtal répressif, et connaître la levée d'impôts nouveaux. Le temps des révoltes n'est pas fini. Les milices flamandes doublées de bandits de grand chemin contrôlent les campagnes. Le comte Louis de Mâle est même obligé de quitter Bruges pour se réfugier à Lille. Il en appelle à la protection du roi de France. Une fois encore, c'est sur un champ de bataille qu'il faudra en finir. Le 17 novembre, à Roosebeke, près d'Ypres, l'ost du roi affronta 25 000 hommes. La bataille se déroula dans le brouillard le plus complet. Parmi les morts, on retrouva Philippe Van Artevelde, fils de Jacques.

Une fois encore, le roi de France a soutenu son vassal contre la révolte des siens. La partie est-elle gagnée ? Hélas ! non, la victoire des Français marquera les mémoires pour toujours : Courtrai incendiée, les campagnes pillées et détruites, les villes exsangues. Le pire se présentera avec les incursions anglaises : à partir de Calais, toutes les villes littorales sont menacées : Bergues, Dunkerque, Nieuport. Les Gantois arrivent eux aussi par Dixmude, Furnes et Poperingue. Enfin, Anglais et Gantois mettent le siège devant Ypres.

Tout s'arrête à la mort de Louis de Mâle, le 30 janvier 1384. Les funérailles du comte de Flandre offrent à Philippe le Hardi, nouveau comte de Flandre l'occasion d'inaugurer ce que l'on appellera les fastes de la cour bourguignonne. Le 1er mars 1384, Lille, à cette occasion reçoit "grant foison de seigneurs de France, de Flandres, de Hainau et de Brabant", l'archevêque de Reims, les évêques de Paris, Tournai, Cambrai, Arras et les abbés, jusqu'aux bannières de Flandre, Artois, Bourgogne,

Nevers et Rethel. C'est presque un sacre. L'année suivante, la paix est signée à Tournai, et avec la paix, une nouvelle époque commence pour nos pays meurtris par les épidémies, les famines et les guerres.

1385

Lille, capitale

Les provinces "par-delà", Franche-Comté et Bourgogne, les provinces "par-deçà", Flandre et Artois, Boulonnais, pays de Montreuil et Saint-Pol, que suivront plus tard Hainaut, Hollande et Zélande, Brabant et Limbourg, auxquelles s'ajouteront les évêchés de Liège, Utrecht et Cambrai, semblent se regrouper suivant un plan réfléchi et poursuivi patiemment. Ainsi l'Escaut devient un "fleuve bourguignon".

Pour organiser ces territoires épars, Philippe le Hardi choisit d'installer à Lille une administration permanente et sédentaire. Pourquoi Lille plutôt que Bruges, Gand ou Bruxelles ? À l'époque, Gand (80 000 habitants) était une ville bien plus importante que Lille qui ne comptait que 25 000 habitants. À l'inverse des villes du Nord, Lille était moins turbulente. Jusqu'en 1473, date à laquelle Charles le Téméraire choisit Bruxelles, Lille fut donc une véritable capitale, avec le palais de la Salle, centre de décision pour les affaires administratives et financières, la Chambre des Comptes à la Poterne, la cour de Justice… Tout un peuple de fonctionnaires, d'érudits et d'artistes faisait la fortune de la cité. Sans compter les fêtes : Joyeuses Entrées, tournois et joutes, banquets et danses. La cour de Bourgogne vit ici dans le faste. On annoncera bientôt à Lille la réunion du chapitre de l'ordre de la Toison d'or (1431) et le banquet du Faisan (1454). Toute la chevalerie de l'époque s'y donnera rendez-vous.

XVe siècle

Pour le carnaval, un peuple de géants		85
1415	La bataille d'Azincourt	87
1419	Philippe le Bon, grand duc d'Occident	89
1431	Premier chapitre de l'ordre de la Toison d'or	91
1440	Josquin des Prés : le prince de la musique	92
1454	Le banquet du Faisan	94
1467	Charles le Téméraire	96
1468	La rencontre de Péronne	98
1475	La paix de Picquigny	99
1479	Louis XI s'empare d'Arras	100
1493	Un conte de Noël	101

Pour le carnaval, un peuple de géants

Où qu'il se tienne, le carnaval bat le rappel des géants. Tous sont mobilisés pour participer aux fêtes, cortèges, farandoles et défilés qui occuperont nos villes et nos villages pendant les jours du carnaval. Bien difficile de trouver un accord entre les historiens pour nous expliquer d'où nous tenons cette habitude venue de nos ancêtres de promener dans les rues nos héros préférés. Par contre, j'aime bien l'idée que, plutôt que de porter en procession une énorme statue en pierre de saint Christophe, patron des passeurs, toujours représenté comme un géant portant l'Enfant Jésus sur son épaule, nos ancêtres aient choisi de promener un géant, mais en osier, recouvert de ses manteaux et attributs. En osier, c'était quand même moins lourd qu'en pierre.

Combien sont-ils chez nous ces villages et ces villes qui honorent leurs héros ? Jan den Houtkapper à Steenvoorde, Phinaert le brigand et Lydéric le Grand Forestier des Flandres à Lille, Come l'Atrébate, héros de la résistance face aux légions romaines à Arras, Gayant

Géants extraits du livret-programme
de la fête communale de Lille (1825-1826).

et son épouse à Douai, Reuze et Dame Gentille et ses enfants à Dunkerque, Gayant et son épouse à Douai, sans oublier évidemment Gargantua à Bailleul ni le Pêcheur de Grand-Fort-Philippe et tous les autres…

C'est une véritable armée de géants, ces héros de paille et d'osier portés en cortège de génération en génération. Dans le Nord-Pas-de-Calais on en compte plus d'une centaine. Chaque année on en dénombre quelques nouveaux : c'est dire qu'on n'est pas prêt de voir s'éteindre cette tradition bien de chez nous.

1415

La bataille d'Azincourt

En ce vendredi 25 octobre 1415, le roi Henri V d'Angleterre prenait Dieu à témoin que le royaume de France lui revenait de plein droit et que personne ne s'y opposerait. "Je me rends à Calais sans chercher noise à personne. On a quand même le droit de se promener !" Débarqué en baie de Seine, a-t-il des vues sur Paris ? Non, pas tout de suite. Il veut d'abord s'assurer un territoire. Harfleur tombe, mais beaucoup des siens ont péri dans la bataille, d'autres sont blessés ou malades. Il lui faut remonter vers le nord, rejoindre Calais. Comme Édouard III, il prend le chemin d'Abbeville pour retrouver le gué de Blanquetaque et traverser la Somme. Pas de chance, le gué est défendu. Reste donc à remonter la vallée de la Somme jusque Péronne et de là rejoindre coûte que coûte et à marches forcées Calais et l'Angleterre. Pour ces hommes fatigués, légèrement vêtus et mal chaussés, la progression est pénible. L'automne, en cette année 1415 est pluvieux et froid…

Azincourt, entre Hesdin et Thérouanne, se trouve sur terres bourguignonnes. Les nobles du royaume de France se rassemblent et sûrs de leur coup s'installent entre Tramecourt et Azincourt, pour barrer la route de Fruges. Il y aura bataille.

Quelle fête pour ces chevaliers français arrivés de partout pour en découdre avec l'Anglais ! Face à la piétaille des 7 000 Anglais ils sont peut-être bien 30 000.

Pendant toute la nuit, on se rassemble entre clans, on boit à la victoire, on mange, on festoie et déjà on se place, les serviteurs hissent leurs maîtres sur leurs montures, on passera la nuit à cheval, casqué, armé, prêt.

L'aube se lève, blême, un voile de brume traîne entre les arbres. Henri V n'a pas dormi ou presque. Il a ordonné aux siens de faire silence et de dormir. Il a déjà entendu deux ou trois messes. Il sait que tout est perdu ou presque. Ses hommes n'ont pas d'armures, ils attendent, l'arc et les flèches au sec… Et la bousculade commence.

Les Anglais s'avancent sur une seule ligne en trois batailles séparées, le roi au centre. Ils s'arrêtent à la limite de portée des flèches. De part et d'autre, un front d'arbres resserre le champ de bataille. Dans un lourd galop les chevaux approchent et tombent, frappés à mort par les flèches qui les jettent au sol. Suivent les autres chevaux et chevaliers piétinés, étouffés, incapables du moindre mouvement une fois au sol. Trop nombreux, ils s'entassent les uns sur les autres, blessés, mourants, paralysés. Lorsque enfin le soleil se lèvera, la fine fleur de la noblesse française sera décimée ou prisonnière.

Ce fut une lourde défaite psychologique pour la noblesse française. Quant au roi Henri V, il s'en retourna vers Calais et l'Angleterre certain que la victoire d'Azincourt, inattendue et impossible, était "l'œuvre de Dieu".

1419-1467

Philippe le Bon, grand duc d'Occident

Entre la France l'Angleterre et l'empire, la nébuleuse bourguignonne prend force. Après Philippe le Hardi, Jean sans Peur lui aussi choisit Lille pour réunir les États de Flandre "pour avoir avis et conseil de ses affaires", et c'est à Lille que l'on voit défiler ambassadeurs anglais et ambassadeurs français. Jusqu'à ce 10 septembre 1419 où il sera assassiné sur le pont de Montereau au cours d'une rencontre avec le dauphin de France.

Commence le règne de Philippe le Bon, grand duc d'Occident. Il a 23 ans et son pouvoir durera 48 ans. À l'évidence, après les circonstances de la mort de son père, c'est vers l'Angleterre qu'il se tourne. Que pouvait le pauvre roi de France Charles VI, bien obligé de signer le traité de Troyes (1420) qui offrait la régence du royaume au roi d'Angleterre ?

Année après année, traité après traité, la puissance bourguignonne s'impose avec l'expansion continue du domaine : Hainaut, Hollande, Zélande et Frise et, au sud, la Picardie et la vallée de la Somme. Philippe le Bon ira jusqu'à avouer un jour : "Je veux que chacun sache que si j'eusse voulu, j'aurais été roi." Il n'en sera rien puisque le petit roi de Bourges, Charles VII, conduit par Jeanne d'Arc, sera sacré à Reims. Malgré l'appel à la paix, lettre envoyée à Philippe par Jeanne, elle sera capturée par les Bourguignons devant Compiègne, transférée à

Arras puis au Crotoy et à Saint-Valery. Jeanne, “vendue” aux Anglais terminera ses jours sur le bûcher de Rouen. Abandonné par ses meilleurs alliés, Philippe le Bon est bien obligé de signer à Arras un traité de réconciliation (1435) avec le roi Charles VII.

Générosité du roi de France ? Toujours est-il que Philippe voit ses territoires renforcés avec l'acquisition du Boulonnais, Péronne, Montdidier et Roye, Saint-Quentin, Corbie, Amiens, Abbeville, Doullens, Saint-Riquier et Crèvecœur. Par contre, Tournai et Saint-Amand restent entre les mains du roi. Dure réplique des Anglais qui, à nouveau, à partir de Calais, sèment la dévastation et la mort vers Ypres et Bailleul, et des bandes errantes, “les écorcheurs”, qui iront en Picardie et jusqu'à Cambrai, Douai, Valenciennes, Orchies et Lille semer la terreur, le pillage et les incendies.

La fin du règne de Philippe le Bon apportera cependant la paix dans nos régions. Peut-on parler d'un âge d'or ? Après les dures répressions contre les révoltes d'Anvers, Bruges, Amsterdam, Dordrecht et Gand, les villes du sud, au contraire, usant de leurs privilèges, acceptent plus volontiers les compétences administratives, financières et judiciaires du pouvoir central. Les ducs peuvent désormais compter sur un apport financier important et, d'autre part, le bruit des armes ayant cessé, ils auront à asseoir leur autorité. Suivra donc ce que l'on pourrait appeler une “politique spectacle”.

1431

Premier chapitre de l'ordre de la Toison d'or

Les fastes du pouvoir : Lille, capitale, deux grands événements s'y déroulent à quelques années d'intervalle.

En 1430, Philippe le Bon, lors de son troisième mariage, à Bruges, avec Isabelle de Portugal, déploya des fastes jusqu'alors inconnus. Les contemporains se souviennent avoir vu Isabelle sur une litière d'or et de brocard portée par deux chevaux blancs. Mieux, à cette occasion, Philippe institua un ordre de chevalerie qui serait le plus recherché de tous : la Toison d'or. Le premier chapitre de l'ordre se tint à Lille le 29 novembre 1431 : trente et un chevaliers feront profession de vertu et de bravoure, refusant l'hérésie, la trahison et la fuite à la guerre. Les appelés soulignent la rapide évolution de la société de l'époque : certes on y découvre les grands noms connus de la noblesse, les Croy, les Commynes, les Lalaing, mais aussi des familles anoblies pour s'être fait remarquer par leur fidélité, leur valeur au combat, les services rendus et même la richesse.

Il nous est permis de rêver à ce que furent ces journées : les rues emplies d'une foule de marchands et de badauds, massés tout au long du cortège des chevaliers et de leurs suites, reçus d'abord au palais de la Salle et puis à la collégiale Saint-Pierre. Pendant plusieurs jours, cérémonies, discours, concerts et offices, banquets et cortèges se suivront selon un "tempo" dont on n'a plus aucune idée aujourd'hui.

Une véritable cour s'installait à Lille. On y construisait hôtels et demeures dignes du rang : l'hôtel de Roubaix, l'hôtel des Aubeaux, l'hôtel de Bocquet de Lattre. Philippe le Bon décida lui aussi de se construire un palais digne des ducs de Bourgogne. L'hôtel de la Salle, malgré ses agrandissements fort coûteux, ne suffisait plus aux réceptions, fêtes, réunions et conseils qui s'y tenaient. Le terrain disponible fut trouvé au Rihout, ancienne propriété de Barard de Rihout, et agrandi avec un terrain voisin acheté à Hue de Lannoy, seigneur de Santes. Les travaux commencèrent en 1452 sur un plan très simple : une grande cour d'honneur en forme de quadrilatère, entourée et fermée par les constructions nécessaires à la vie de cour : appartements du duc et leur suite, appartements de la duchesse et leur suite, la chapelle du Conclave (toujours visible), enfin les locaux destinés aux officiers, conseillers, chevaliers, chapelain, barbier, écuyers, maîtres d'hôtel, panetiers, échansons, musiciens, peintres, domestiques…

1440

Josquin des Prés : le prince de la musique

Lorsque le futur Charles Quint venait au monde à Gand, en 1500, Josquin des Prés était au sommet de sa gloire, connu de l'Europe entière pour l'évolution qu'il apporta dans le chant d'église, la polyphonie. Martin Luther lui-même, lorsqu'il parlait de Josquin des Prés, le présentait comme “le prince de la musique”... “Chez lui, les notes doivent exprimer ce qu'il veut leur faire dire ; les autres compositeurs font ce que les notes leur dictent de faire. “Dans son livre *De Guillaume Dufay à Roland de Lassus*, Ignace Bossuyt n'hésite pas à écrire “qu'il a représenté pour le XVIe siècle ce que Ludwig van Beethoven a été pour le XIXe : tous les deux ont été un chaînon capital dans un processus musical qui a fait une place sans cesse grandissante à l'expression des émotions.”

Comment se fait-il que nous laissions dans l'oubli quelques-unes de nos célébrités les plus incontestables ? Né à Beaurevoir dans le Vermandois en 1440, Josquin des Prés fait partie, sans aucun doute, de ces grands oubliés.

A-t-il fait ses études comme enfant de chœur à la cathédrale de Saint-Quentin ? Il semble qu'il y ait reçu sa première formation musicale et c'est là qu'il rencontra Jean Ockeghem et Guillaume Dufay. Une étonnante existence commence.

Il n'a pas 20 ans quand on le découvre à la maîtrise du Dôme de Milan. À 30 ans, il écrit son premier *Livre de musique*. Sa renommée éclate lorsque le pape l'appelle à Rome pour y diriger le service pontifical, ce qui ne l'empêche pas de répondre à des invitations qui l'entraînent à Florence, à Blois, Paris, Ferrare et à la cour du roi de France Louis XII. L'œuvre musicale qu'il laisse est considérable : 32 messes, 70 motets et 80 chansons dont de nombreuses pièces considérées comme des chefs-d'œuvre de la polyphonie.

Quel fut donc le génie de Josquin des Prés ? Il a bouleversé la musique de son temps. C'est lui qui assura la transition du chant grégorien vers le chant polyphonique : il introduisit dans le chant d'église le chœur à trois voix, à quatre voix et même à six voix. On peut imaginer les batailles qu'il déclencha entre les anciens et les modernes ! Il n'a pas seulement bouleversé la musique religieuse, mais tout autant la musique de cour et la musique amoureuse.

Il passa les dernières années de sa vie au prieuré de l'église Notre-Dame de Condé, à Condé-sur-l'Escaut. En 1520, lors du passage de Charles Quint à Condé, il lui offrira ses dernières compositions : *Auculnes chansons nouvelles*.

1454

Le banquet du Faisan

On peut se demander pourquoi Philippe le Bon avait tenu à réunir à Lille les chevaliers de la Toison d'or et, à leur suite, toute la noblesse d'Artois, de Hainaut et de Flandre. Il convient d'abord de rappeler la chute de Constantinople entre les mains des Turcs l'année précédente, événement qui eut un retentissement considérable en Occident. Suivra l'appel du pape Nicolas V à la chrétienté pour libérer une fois encore les chemins de la Terre sainte.

Philippe le Bon, grand duc d'Occident, celui que l'on nommait parfois le Grand Lion, bibliophile passionné, protecteur des arts et des lettres, semblait seul capable de prendre la tête d'une nouvelle croisade. Pendant plusieurs semaines, à Lille, se met en place l'organisation de ce grand départ. En ce mois de février arrivent ici les chevaliers, les seigneurs et les notables, les membres du haut clergé, le représentant du pape Nicolas V. Une fois encore, la chrétienté était en péril : Philippe le Bon, trois cents ans après le départ de la première croisade reprendrait le flambeau et conduirait les armées à la victoire.

Il ne peut y avoir de réunion de ce genre sans joutes, spectacles, bals et banquets : le banquet du Faisan fut un sommet. Trois tables immenses sont couvertes de mets prodigieux : une église avec une cloche, un bateau, une fontaine, un château entouré de tours, un moulin, un gigantesque pâté et, au spectacle, un lion, un vrai lion attaché à une chaîne, un éléphant, un vrai, qui fait son entrée dans la salle portant une religieuse, image de l'Église qui appelle au secours… Arrive le faisan, un vrai, orné de pierres précieuses. Philippe le Bon se lève, toute l'assemblée se lève, ils iront en Terre sainte, ils partiront, ils se battront, ils mourront… En ce 17 février 1454, chacun prononça le Vœu du Faisan, promettant de libérer Constantinople et la Terre sainte.

Reste cette question : pourquoi, après ces grandes cérémonies lilloises, pourquoi ne sont-ils pas partis ? Les historiens hésitent à donner une réponse : peut-être l'âge de Philippe le Bon : 58 ans, était-ce encore l'âge pour entreprendre pareille expédition ? Il semble aussi que le prix à payer était exhorbitant, surtout que c'était la voie maritime qui était retenue, et que les bateaux manquaient pour embarquer une telle armée. Enfin, faut-il le rappeler, l'Europe n'était pas prête à faire face aux périls qui menaçaient.

Bientôt les Turcs seront devant Vienne et l'Europe tremblera.

1467

Charles le Téméraire

Rencontre et négociations à Hesdin entre Louis XI et Philippe le Bon le 8 octobre 1463. Après de longues discussions, le comte de Flandre rend à la France les villes de la Somme contre 200 000 écus. Le jeune Charles le Téméraire, voyant dans cette opération une menace prochaine pour les États de Bourgogne, s'oppose à son père et se méfiera plus que jamais de Louis XI. Serait-il vrai d'ailleurs que peu après, Louis XI ait envoyé un homme de main pour l'assassiner en son château de Gorcum ?

Deux ans plus tard, Philippe le Bon conduit contre le roi de France une véritable guerre du Bien public, laissant Charles menacer Louis XI jusqu'aux portes de Paris. C'est le commencement d'une longue lutte opposant la féodalité à la royauté, qui durera jusqu'au xviie siècle.

Louis XI d'un côté, Philippe le Bon et Charles le Témaire de l'autre : la rencontre a lieu cette fois sur un champ de bataille le 16 juillet 1465 près de Montlhéry. Victoire ou défaite ? c'est l'indécision. Louis XI joue le tout pour le tout : il préfère négocier que guerroyer. Il rencontre Charles à Conflans le 19 septembre. Louis obtient la paix. Charles obtient le retour des villes de la Somme.

C'est alors que commence la guerre de Liège. À Liège comme à Gand, la révolte naît d'une opposition forte aux contraintes administratives et financières imposées par les ducs. Le gouverneur Marc de Bade, comme Jacques Van Artevelde à Gand, sait parler aux foules et les pousser à "secouer le joug" des ducs. Il profite même du fait que les forces bourguignonnes sont rassemblées devant Paris pour signer une alliance avec Louis XI qui envoie vers Liège des renforts français. Les hommes de Philippe sont plus rapides et écrasent la révolte. C'est la paix, une paix "misérable et piteuse". Quelques mois plus tard, c'est au tour de Dinant de se soulever. Philippe le Bon est malade et c'est Charles le Téméraire en personne qui conduit le sac de la ville : on a écrit que ce fut un "Oradour au xve siècle".

Depuis plusieurs mois Philippe le Bon est sur le déclin. Le 15 juin 1467, à Bruges, "il ne bouge ni ne parle". Charles, qui était à Gand, arrive au grand galop, s'agenouille, demande pardon à son père pour ses années d'opposition. Est-il trop tard ?

Les funérailles à l'église Saint-Donat de Bruges dureront de longues heures, ce ne seront que cortèges, messes, oraisons funèbres, tout un cérémonial qui prendra fin devant la fosse creusée au pied de l'autel : l'écuyer de Charles lève droit l'épée de la maison de Bourgogne. À ce moment précis, Charles devient duc de Bourgogne.

Il a 34 ans. Son règne durera dix ans. Il prend en charge les “pays de par-deçà”, Belgique et Pays-Bas, et les “pays de par-delà”, Bourgogne et Franche-Comté. Ses contemporains notent qu'il se met au travail avec un acharnement stupéfiant, impatient de tout entreprendre.

1468

La rencontre de Péronne

Lorsque Louis XI apprend que le conseil du roi d'Angleterre a donné son accord au mariage de Marguerite, fille d'Édouard IV, avec Charles de Bourgogne, il comprend que désormais le royaume de France se trouve pris en tenaille entre Bretagne, Bourgogne et Angleterre. En septembre 1468, Louis XI amène François de Bretagne à signer la paix d'Ancenis. Mais que faire avec Charles de Bourgogne ?

Plutôt que les armes, Louis XI préfère la diplomatie. Une rencontre est décidée, encore faut-il la faire accepter. Le 6 octobre le roi quitte Noyon et prend le chemin de Péronne, sans garde, sans escorte, accompagné seulement de ses proches et conseillers. Charles vient à sa rencontre, le salue, le serre dans ses bras, l'embrasse… et ils s'en viennent ensemble au château de Péronne.

On négocie. Pour Louis XI, avant tout, briser l'alliance France-Angleterre, quitte à offrir la Champagne au duc de Bourgogne. Quel cadeau ! Arrivent alors les nouvelles du soulèvement de Liège contre Charles… révolte fomentée sans aucun doute par Louis XI. Les négociations sont suspendues. Aux yeux de Charles, c'est une trahison froidement calculée. Colère. Menaces. Finalement, contraint et forcé, Louis XI accompagne Charles jusqu'aux portes de Liège où ils entreront ensemble le 30 octobre. Ensuite, ce sera le sac de la ville et la mise à mort des révoltés.

Quant à l'accord, Charles s'engage à respecter la trêve et obtient confirmation qu'il conservera les villes de la Somme. À jamais, entre les deux hommes, survivra la haine.

1475

La paix de Picquigny

Les ruines d'un château médiéval dominent aujourd'hui encore les rives de la Somme, à Picquigny. Enlevé par Charles le Téméraire en 1470, il fut incendié et rendu inutilisable. Voilà pourquoi la rencontre entre Louis XI et Édouard IV d'Angleterre se fit sur un pont de bois, construit tout spécialement sur la Somme. Par précaution, le pont était partagé en son milieu par une grille en bois "comme on en fait aux cages aux lions".

Ici encore, embrassades (à travers la grille !), promesses, négociations et réceptions ! Entre France et Angleterre, une trêve de sept ans est signée. En contrepartie, Édouard IV obtient 75 000 écus et une rente annuelle de 50 000 écus. Ainsi, sur le pont de Picquigny, le 29 août 1475, se termina la guerre de Cent Ans.

Louis XI a neutralisé la Bretagne, puis l'Angleterre. Reste le Téméraire. Depuis quelques semaines, le roi de France pousse les négociations avec les Confédérés. En octobre 1475, ils envahissent le pays de Vaud avec une rare violence. Une nouvelle guerre commence. Quinze mois plus tard, Charles le Téméraire, duc de Bourgogne, disparaîtra devant Nancy le 5 janvier 1477.

1479

Louis XI s'empare d'Arras

"Quand les Français prendront Arras
Les souris mangeront les chats."

Voilà ce qui se chantait sur les murailles d'Arras lorsque les armées du roi de France s'en approchaient d'un peu trop près. Arras et l'Artois, frontière sud des Provinces du nord, voyaient d'année en année se répéter les affrontements. Arras était le verrou à faire sauter pour reculer la frontière de la France vers le Nord, toujours plus au nord. Lutte diplomatique parfois cruelle, lutte ouverte et sans pitié sur le terrain. Après le désastre de Nancy (5 janvier 1477) où le Téméraire trouva la mort, Louis XI mit l'Artois et la Picardie à feu et à sang : villes et villages pillés et brûlés, les habitants chassés ou passés au fil de l'épée. À Thérouanne, Hesdin, Péronne, Bapaume, Lens, Boulogne, Valenciennes, partout c'est le désastre, la guerre dans ce qu'elle a de plus de plus horrible.

Arras tombe enfin sous les coups de Louis XI en mai 1479. Tous les habitants sont chassés pour avoir résisté et montré ouvertement leur attachement aux ducs de Bourgogne. Les élites s'enfuient, abandonnant leurs biens. On ne parlera plus de la tapisserie d'Arras. Pour repeupler la ville et la campagne désertées, Louis XI sera contraint de "déplacer" plus de 3 000 ménagers et marchands du Languedoc, de la Normandie, de la Touraine et du Berry. Lous XI continuera sa marche victorieuse, enlèvera Cambrai, Tournai, Le Quesnoy, Bouchain, Condé, Landrecies et Avesnes. Obligé d'en rester là, il décide d'affamer les villes du nord : trois à quatre mille paysans seront mobilisés pour faucher les champs de blé entre Douai et Valenciennes…

"Quand les Français rendront Arras
Les souris mangeront les chats."

1493

Un conte de Noël

Il était une fois, en l'an 1493… La neige tombait en abondance en cette nuit de Noël. À la sortie de Béthune, le chemin traverse Beuvry et conduit vers le nord dans un paysage de marais. Le chemin n'est pas sûr, chacun le sait : la pluie, la brume, le vent et la neige n'arrangent rien… sans compter les brigands…

Ce soir-là, le coche transportait une dizaine de voyageurs, marchands, fiancés, moines et deux chartreux... On s'arrêterait à la ferme de l'Estracelle, une ferme-château, lourde masse de briques sombres couverte d'un toit de tuiles à deux versants entre des pignons à pas-de-moineau qui lui donnent aux beaux jours des airs de manoir flamand. On parlait peu, on écoutait les bruits de la nuit, le souffle des chevaux et le fouet du cocher... La route se perdait dans la lumière glauque. Le coche ralentit pour bientôt s'arrêter, embourbé.

Tout le monde descend, chacun pousse, qui sur la roue, qui à l'arrière, les autres prient. Coups de fouet. Les chevaux cabrés hennissent, le cocher tempête et jure : "Que le diable emporte tout !"

Arriva ce qui devait arriver. L'eau gagne les pieds, les roues, les genoux. Les voyageurs qui voulaient rebrousser chemin sont retenus par les herbes et les trous d'eau. Les chevaux s'enfoncent dans le marais, le coche surchargé sombre lui aussi... Des cris montent dans la nuit blanche : "Miserere... Sauvez-nous...", et le silence retombe peu à peu sur le marais.

Reste cette légende de la fontaine Hideuse dans les marais de Beuvry. N'y allez surtout pas lorsque la nuit est trop longue ou le brouillard trop dense : il paraîtrait qu'on y entend encore, parfois, des hennissements de chevaux et les cris étouffés des voyageurs perdus.

XVIe siècle

Le XVe siècle, un siècle d'or ?		105
1520	Le camp du Drap d'or	108
1553	Boulogne, Thérouanne, Hesdin	110
1555	Augier de Bousbecque, ambassadeur auprès de Soliman le Magnifique	112
1558	Prise de Calais et traité du Cateau-Cambraisis	115
1567	Guerre civile ou guerre de Religion ?	117

Le XVe siècle, un siècle d'or ?

Malgré les saignées faites dans la population, qu'elles aient pour causes la lèpre et la peste, les inondations, la sécheresse et la famine et surtout les passages répétés des bandes armées venues de France, d'Angleterre et de Flandre, la richesse revenait, née du travail de la laine : mais la laine était anglaise, d'où tous les problèmes politiques. Tisserands, foulons, teinturiers et tondeurs assuraient la fabrication des draps et tissus. Plus tard, on fabriquera des étoffes plus légères, mélange de lin, de laine ou de soie. Ailleurs ce sera la broderie qui prendra un formidable essor, ainsi que la tapisserie, les industries du bois et du cuir.

Amiens, Arras, Lille, Valenciennes... toutes les grandes villes du nord attiraient sur leurs marchés et sur les franches foires les commerçants, les changeurs et les négociants venus de l'Europe entière.

Les métiers d'art ont fait la célébrité de nos pays : orfèvres, joailliers et monnayeurs, émailleurs et graveurs, marchands joailliers, batteurs d'or, fondeurs de laiton, batteurs de cuivre, maîtres maçons et tailleurs de pierre, tapissiers et brodeurs, sculpteurs et peintres, enlumineurs, chroniqueurs, poètes et ménestrels : les musées et les bibliothèques du monde entier possèdent ces trésors épars échappés comme par miracle aux incendies, pillages, saccages, destructions et vols.

Pour mémoire, rappel de quelques noms :

Jean Marmion, peintre et tailleur d'images à Amiens ;

Simon Marmion, son fils, travaille à Lille, à

Thérouanne, à Saint-Bertin et à Valenciennes ;

Jean Van Eyck, appelé à Lille par Philippe le Bon, y travaille comme chambellan et peintre dans les années 1426-1428. Entre 1428 et 1430, il effectue plusieurs missions de longue durée en Espagne et au Portugal ;

Philippe de Comines, Guilbert de Lannoy, Jean de Wavrin, Georges Chastellain, Miélot, secrétaire de Philippe le Bon, et bien d'autres, chroniqueurs…

À l'évidence, Paris n'est plus la capitale des arts. Les Pays-Bas méridionaux lui ont ravi cette première place. Que ce soit à Bruges, Gand, Bruxelles, Lille ou Hesdin, Thérouanne ou Arras, Amiens ou Péronne, la vie de cour et ses fastes attirait les plus grands artistes du temps. Les cours de l'Europe entière se disputaient nos

Le palais Rihour, à Lille.

talents et jusqu'à nos musiciens : on retrouvait à Rome, Florence, Madrid, Milan et Vienne, Jacob Regnart de Douai, Pierre de Manchicourt de Béthune, Philippe Rogiers d'Arras, Jean de Macque de Valenciennes, Créquillon de Béthune, Pierre de la Rue de Tournai, et d'autres plus célèbres, Roland de Lassus, Guillaume Dufay, Jean Ockenghem et surtout Josquin des Prés, revenu au pays "finir le reste de ses jours" au Cateau, après avoir connu la célébrité à travers l'Europe entière.

En quelques decennies, la Renaissance vient de naître. En 1450, Gutenberg publiait une Bible "à trente-six lignes" et autres ouvrages déclenchant une formidable propagation du savoir par l'imprimerie. En 1492, Christophe Colomb débarquait sur l'île de Guanahani, ouvrant les voies de la découverte d'un Nouveau Monde. En 1524, à la Diète de Worms, Luther demandait tout à la fois à l'Église une réforme et proposait à l'homme une nouvelle relation à Dieu. Un siècle se termine.

1520

Le camp du Drap d'or

Jamais, Flandre, Artois et Picardie ne subiront pareille pression que durant ces années 1500-1550. Trois pouvoirs vont s'affronter, trois puissances chercheront à imposer leur suprématie sur nos terres, trois rois feront assaut de diplomatie et de violences.

Charles Quint, né à Gand en l'an 1500, comte de Flandre et duc de Bourgogne, prince des Pays-Bas et roi d'Espagne à 15 ans, élu empereur germanique à 20 ans.

Henri VIII, né à Greenwich en 1491, roi d'Angleterre en 1509.

François Ier, né à Cognac en 1494, roi de France en 1515.

Enjeu formidable dans ces années 1520 : qui fera alliance avec qui ? Pour François Ier, la partie qui va se jouer est lourde de conséquences : si Henri VIII fait alliance avec Charles Quint, la France se trouverait littéralement encerclée de toutes parts.

Quant à nos provinces d'Artois, Boulonnais et Picardie, il ne faisait pas bon y vivre en ces temps de tourmente. Aire-sur-la-Lys, Béthune et Thérouanne sont aux avant-postes des passages réguliers des bandes armées et des troupes anglaises toujours prêtes à razzier les campagnes à partir de Calais. Voilà pourquoi François Ier propose une rencontre avec Henri VIII.

L'histoire contemporaine nous a habitués à ces réunions "au sommet" annoncées à grand renfort de communiqués et d'émissions spéciales. Tout se termine généralement sous l'œil blasé des caméras du monde entier ajustant leurs gros plans sur les signatures, les poignées de mains et les sourires de commande. Notre histoire garde le souvenir d'une de ces rencontres les plus décisives pour l'histoire de France.

Entre Guînes et Ardres passait une frontière informelle entre France et Angleterre. C'est là que, pendant près d'un mois, François Ier et Henri VIII se rencontreront. Ni château, ni palais, rien que des tentes, mais celle de François Ier était cousue de fils d'or... Henri VIII avait, paraît-il, amené d'Angleterre un palais de cristal en pièces détachées, qui fit l'admiration de tous. Il était accompagné d'une cour de 3977 personnes, parmi lesquelles les 80 musiciens de la cour d'Angleterre !

Fêtes, rencontres, tournois au cours desquels Henri VIII se surclasse, joutes pacifiques, tir à l'arc, concerts – ici encore Henri VIII est le meilleur –, festins, cérémonies religieuses, promesses de fidélité et d'amitié, jusqu'à ce 19 juin où Henri VIII jette un défi à François Ier : lequel des deux rois mettrait les deux épaules de l'autre au sol ? Les chroniqueurs rendent compte d'une lutte âpre et dure. François Ier eut le dessus et le clama haut et fort : ce fut l'erreur, l'erreur diplomatique.

Le 20 juin, tout est fini. Henri VIII reprend le chemin de Calais mais au lieu d'embarquer pour l'Angleterre il se rend à Gravelines où l'attend... Charles Quint. On entendra bientôt parler d'une alliance Angleterre-Espagne. Hélas ! le camp du Drap d'or n'a servi à rien.

1553

Boulogne, Thérouanne, Hesdin

Échecs diplomatiques, batailles rangées, désastre de Pavie où l'on voit François Ier emmené prisonnier à Madrid. C'est là qu'il signe le fameux traité où il renonce, entre autres, à la souveraineté française sur l'Artois et la Flandre (1526). Rentré en France, François Ier dénoncera ce traité "signé sous la contrainte", mais un autre traité, signé à Cambrai en 1529, la paix des Dames, confirmera l'abandon de la souveraineté française sur l'Artois.

Mais tout recommence en 1536 : les troupes espagnoles essaient d'enlever Péronne. Échec. En réponse, François Ier pénètre en Artois, enlève Hesdin, Saint-Pol, Lillers et Saint-Venant. À nouveau, les Espagnols interviennent et, cette fois, s'en prennent à Thérouanne, réputée imprenable. Échec. On signe une trêve de dix ans, mais les combats reprennent et, cette fois, François Ier se trouve face à Charles Quint et Henri VIII. À partir de Calais, les Anglais attaquent Desvres, Audinghem, Marquise et enfin 30 000 hommes encerclent Boulogne, défendue par 1 800 Boulonnais. Ils tiendront trois mois. L'entrée des Anglais à Boulogne fut un saccage. Seuls 3 664 habitants sortirent en cortège, prenant le chemin d'Abbeville, poursuivis sans relâche par les pillards.

Boulogne ne reviendra à la France que cinq années plus tard et après de longues négociations accompagnées de 400 000 écus d'or.

Pour Charles Quint restaient deux symboles de la présence française sur ses terres d'Artois : Thérouanne et Hesdin.

Depuis l'époque romaine, Thérouanne commandait plusieurs voies ; la ville prenant de l'importance devint le siège d'un évêché et plusieurs abbayes s'y implantèrent ; d'importantes murailles protégeaient la cité dominée par une cathédrale imposante, la plus belle, dit-on des pays du Nord. Pendant plusieurs semaines, la ville subit un bombardement sans relâche et le 20 juin 1553, elle tomba sous les assauts des troupes autrichiennes. Informé, Charles Quint ordonna que la ville soit rasée jusqu'au sol : 3 000 pionniers s'y employèrent.

Hesdin était une ville de rêve : les dernières demeures seigneuriales et leur parc s'inspiraient de ce que les uns et les autres avaient vu de plus beau en Italie. C'était, d'une certaine façon, pour la haute société, la résidence du repos et des vacances. Ici encore, le siège dura un mois, au cours duquel la cité fut écrasée sous le bombardement de 50 bouches à feu. La ville prise, elle aussi, fut détruite. Ne restent, paraît-il qu'un labyrinthe de souterrains où dormiraient des trésors inestimables ! Quant à la ville actuelle, elle fut reconstruite à 5 km de là… sur ordre de Charles Quint !

Pendant un demi-siècle, "tout est buslé et habandonné (…) les posvres gens ont été bruslez en leurs clochers (…) hommes, femmes et enfants tués".

1555

Augier de Bousbecque, ambassadeur auprès de Soliman le Magnifique

Augier de Bousbecque est né en 1522 à Comines et Charles de l'Écluse à Arras en 1526. Oubliés des historiens officiels de l'histoire de France, ces deux personnages, célèbres en leur temps, sont hélas ! nés hors du royaume de France et donc à jamais négligés puisque, à l'époque, nos Provinces du Nord vivaient sous l'autorité du roi d'Espagne.

Gilles Ghislain, seigneur de Bousbecque, avait fait construire un superbe château dans une boucle de la Lys. Un parc s'étendait tout autour planté d'arbres et de fleurs, dont la réputation s'étendait au loin. C'est là qu'Augier grandit jusqu'au jour où son père l'envoya terminer ses études dans les universités de Louvain, Paris, Vienne, Bologne et Padoue. Il s'en revint au château en 1549 pour en repartir bientôt : il était convoqué à Vienne par Ferdinand Ier, frère de Charles Quint. S'était-il fait remarquer au cours de ses études ? Toujours est-il que c'est lui qui fut choisi pour se rendre à Constantinople comme ambassadeur auprès de Soliman Ier le Magnifique.

Soliman a déjà fait trembler l'Europe en enlevant Belgrade en 1521, l'île de Rhodes en 1522, Budapest en 1526, et enfin en mettant le siège devant Vienne en 1529. Obligé de lever le siège pour se tourner vers l'est, vers Bagdad et Aden, il revient vers l'ouest bien décidé cette fois à enlever Vienne. Ferdinand Ier a profité de ces quelques années de répit pour se fortifier, mais la menace reste vive.

Les approches, pourparlers et négociations du jeune ambassadeur, il a à peine 30 ans, sont efficaces, puisqu'il obtient une trêve en 1555 et la signature de la paix en 1568. Mais son séjour à Constantinople n'est pas sans danger : la peste sévit et il se fait remarquer en préparant une décoction secrète contre la contamination. Il lui arrive aussi de découvrir des merveilles, les palais et les mosqués emplis de trésors. Plus encore, les jardins secrets de la capitale où l'on collectionne des fleurs rares et inconnues en Europe. La tulipe surtout, et ses variétés incroyables dans leurs formes et leurs couleurs, éveilleront chez lui une véritable passion, qui sera bientôt connue en haut lieu et lui vaudra de se voir offrir un cadeau exceptionnel : les bulbes les plus chers et les tulipes les plus rares (culture et commerce rigoureusement protégés à l'époque).

Que faire de ce cadeau fabuleux ? Son ami Charles de l'Écluse (1526-1609), connu comme un botaniste d'exception, est à Vienne à cette époque, responsable des Jardins impériaux. C'est lui, entre autres, qui, bien avant Parmentier, fera connaître la pomme de terre importée d'Amérique par les Espagnols. Voilà donc Charles de l'Écluse cultivant ses tulipes à Vienne : il les présentera dans un de ses livres de botanique en 1580. Puis son destin l'appelle à l'université de Leyde fondée en 1575. Il y devient *Horti Praefectus*, chargé du jardin botanique de l'université. Il a évidemment emporté sa collection de tulipes. Tout de suite, la passion des Hollandais éclatera pour cette fleur à nulle autre pareille. Après la Hollande, la tulipe fera la conquête des pays du Nord… Et la tulipomania frappera jusqu'à Paris. Charles de L'Écluse, devenu Carolus Clusius poursuivra une brillante carrière à Leyde jusqu'à sa mort à l'âge de 83 ans.

Augier de Bousbecque a écrit ses *Souvenirs* en 1581. Il a servi quatre empereurs germaniques : Charles Quint, puis Ferdinand Ier à Vienne, Maximilien II et Rodolphe II. Il est mort en France à l'âge de 70 ans au cours d'une mission qu'il accomplissait pour Rodolphe II. Son cœur, placé dans une urne en plomb, a été déposé dans le caveau de famille en l'église de Bousbecque.

Quant à la tulipe, amoureusement cultivée en Europe depuis plus de quatre cents ans, elle occupe 10 000 ha, dont 65 % en Hollande (10 milliards de bulbes par an).

> *"Que je voudrais vivre tranquille, sur les bords de la Lys, éloigné des cours, à l'abri des tracas des affaires publiques, n'ayant d'autres relations que celles que procure le commerce des lettres."*
>
> (Augier de Bousbecque)

1558-1559

Prise de Calais et traité du Cateau-Cambraisis

Depuis 1494 jusqu'en 1559, la France n'a cessé de faire valoir ses droits sur le Royaume de Naples, sur le Milanais et même sur certains domaines de Charles Quint. De l'Italie jusqu'à l'Écosse et jusque sur les côtes du Brésil, à Metz et Saint-Quentin, que de batailles... Fornoue, Agnadel, Ravenne, Marignan, Pavie, Sienne... Quand va-t-on en finir avec ces guerres ?

L'année 1557 se termine mal pour la France. Philippe II d'Espagne et la reine Marie Tudor triomphent. Henri II décide de frapper un grand coup. Frapper vite, frapper fort et en plein hiver. Mais où ? Calais ? Ce sera Calais.

Calais, "le plus beau joyau de la couronne d'Angleterre". Philippe de Comines disait mieux encore : "Cette place, qui est le plus grand trésor d'Angleterre, est la plus belle capitainerie du monde, car le capitaine prend tout le profit de ce qu'il y a deça la mer"... Aux yeux des Anglais, qui tient Calais tient la France et ses richesses. Depuis plus de deux cents ans, les Anglais tenaient la ville et les entrepôts regorgeaient de vivres et de munitions. La forteresse était réputée "superbe et inexpugnable".

Le duc de Guise est rappelé d'Italie ; il commande 36 000 hommes, c'est considérable pour l'époque. On lui donne tout : des vivres, des boulets, du bois, des charrettes. Grand rassemblement à Compiègne, concentration dans le Ponthieu, les navires sont prêts à

Boulogne. Personne n'a connaissance du plan retenu : où va-t-on ? en Angleterre ou en Flandre ?

Tout se met en branle le 1er janvier 1558 : tenir la mer, prendre la route de Marquise, Sangatte, le pont de Nieuley, garder les écluses et, après une forte attaque d'artillerie enlever le Risban, première défense de Calais réputée imprenable. Dans la nuit du 5 au 6 janvier, à marée basse, les Français traversent le port sur des clayettes en osier et enlèvent le château qui protégeait la ville. Le 7 au petit matin les Français tiennent Calais. Ils découvriront dans les entrepôts trois mois de vivres et trois cents pièces d'artillerie

Côté anglais, ce fut la stupeur, l'incrédulité et enfin la désolation. La reine Mary mourut peu après, de chagrin dit-on. À ses intimes elle avouait : "Après ma mort, si vous ouvrez mon cœur, vous y trouverez le nom de Calais."

À travers le royaume ce ne furent que fêtes et célébrations. Hélas ! au cours d'un tournoi organisé pour célébrer la paix revenue, le roi Henri II est mortellement blessé. Mais la paix est là. Reste à négocier accords et traités pour les années à venir. C'est au Cateau que les plénipotentiaires travailleront dans le palais de l'Évêque (actuel musée Matisse) à partir du mois d'octobre 1558 et le traité sera signé le 2 avril 1559 entre la France et l'Angleterre et le 3 avril entre la France et l'Espagne. La France mettait fin à ses prétentions en Italie et à ses rivalités avec l'Espagne. Philippe II rendait à la France Saint-Quentin, Le Catelet et Ham, et ce qui restait de Thérouanne. Calais enfin était reconnue comme faisant partie intégrante de la Couronne de France.

1567

Guerre civile ou guerre de Religion ?

Dans les *Dialogues des carmélites*, Georges Bernanos écrit : "Toute guerre civile tourne en guerre de Religion".

La réforme protestante lancée au XVIe siècle par Luther et Calvin s'est implantée rapidement dans les Pays-Bas. Dans nos régions, à l'époque sous l'autorité du roi d'Espagne, les villes et les villages sont rapidement touchés par les nouvelles doctrines. À Valenciennes en particulier, la Réforme se propage tellement vite qu'on la présentera comme "la Genève du Nord". À Rome comme à Madrid, on s'inquiétait. Un enquêteur fut envoyé sur place : il ne pouvait que constater que l'on abandonnait la messe, que l'on négligeait les fêtes religieuses, que des manifestations avaient lieu contre les fêtes traditionnelles, en particulier contre la célèbre procession du Saint-Cordon.

Le pouvoir finit par s'en mêler et fait arrêter deux parmi les principaux fauteurs de troubles, deux "hérétiques" : Simon Fauveau et Philippe Maillart sont mis aux fers et condamnés à être brûlés vifs sur la place publique. Malgré la protection de l'armée, malgré la présence de 60 notables armés eux aussi, la foule brise les barrières, enfonce les portes de la prison et les deux condamnés, les "maubrûlés" comme on les appellera désormais, sont libérés.

C'en était trop pour le pouvoir bafoué. Le terrible duc d'Albe, aux ordres de Philippe II déclare la ville "rebelle" à son Dieu et à son roi. Valenciennes est mise en état de siège et reprise par les Espagnols le 24 mars 1567. Les exécutions capitales feront au moins 128 victimes.

La répression s'étendra à travers toute la Flandre contre les bandes organisées. Les "iconoclastes" sèment massacres et pillages à Ypres, Bailleul, Houtekerke, Poperingue et jusqu'à Boulogne. À Rexpoëde, le curé et son vicaire sont abattus en plein office devant leurs fidèles horrifiés... À Wattrelos et Lannoy, à Tournai comme à Gand, Bruges et Anvers et jusqu'aux portes de Lille, les "gueux" armés menacent, brûlent et cassent. Églises, abbayes, fermes isolées, les fumées des incendies s'élèvent partout.

"Les casseurs de l'été" 1567 étaient-ils en révolte contre le pouvoir en place ou contre une Église catholique toute-puissante ?

XVIIe siècle

Les bières des pays du Nord 121

1620 Assainissement des Moëres 124

1640 "Quand les Français rendront Arras..." 125

1643 Rocroi et Lens 127

1652 La Bourse de Lille 128

1658 Dunkerque, espagnole, française ou anglaise ? 129

1660 À la découverte du charbon 131

1662 4 500 000 écus d'or pour Dunkerque 133

1664 Les manufactures royales : Beauvais, Saint-Gobain, Abbeville 135

1667 Lille, en France 138

1673 D'Artagnan, gouverneur de Lille 140

1679 Vauban et le "Pré carré" 141

1685 Révocation de l'édit de Nantes 143

1695 Fénelon, archevêque de Cambrai 146

Les bières des pays du Nord

Boisson des Gaulois, les Romains découvrirent la bière, dont la célèbre cervoise, au fur et à mesure de leurs conquêtes. La recette viendrait des peuples du Nord et d'Europe centrale, notamment des Celtes. César, dans son livre *La Guerre des Gaules*, se souvient avoir bu ce beuvrage à base de céréales dans une corne d'auroch !

Chartes, donations, chroniques, de nombreux écrits attestent que dès le VIIIe siècle, les brasseries monacales perfectionnent l'art de brasser. En effet, les abbayes devinrent de véritables centres culturels vivant en autarcie. Les moines accomplissaient toutes les tâches domestiques comme la fabrication du pain, du fromage, du vin et de la bière. De siècle en siècle, ils améliorèrent considérablement les techniques et ce sont les contacts et l'urbanistion qui firent sortir l'art de brasser au-delà des murs des abbayes.

De nombreuses abbayes élevées en Flandre, Artois et Picardie étaient célèbres pour leurs bières : “la *prima melior* ou *celia*, à base d'orge était offerte aux hôtes de marque, la *cervicia*, plus légère, obtenue à partir de l'avoine était réservée à l'usage quotidien et, la tertia, la plus courante, était proposée aux pélerins” (*L'Homme et la Bière*, B. Hell).

Au XVe siècle, deux améliorations importantes modifieront les techniques de fabrication de la bière : l'introduction du houblon et la technique de la fermentation basse.

Lorsque la Révolution française supprimera le système des corporations et accordera la liberté de brasser, la fabrication de la bière tombera dans le domaine public. Les études sur la bière de Louis Pasteur à Lille (1875) élèveront cette boisson régionale et nationale au rang de science. Les brasseurs d'aujourd'hui sont donc les continuateurs d'une très longue histoire.

Au début du XXe siècle, il y avait plus de deux mille brasseries dans nos villes et villages. Les deux guerres, mais aussi les "progrès" et les regroupements, les ont fait disparaître et, avec elles, tout un art de vivre. Depuis quelques années se dessine un retour en force, non pas

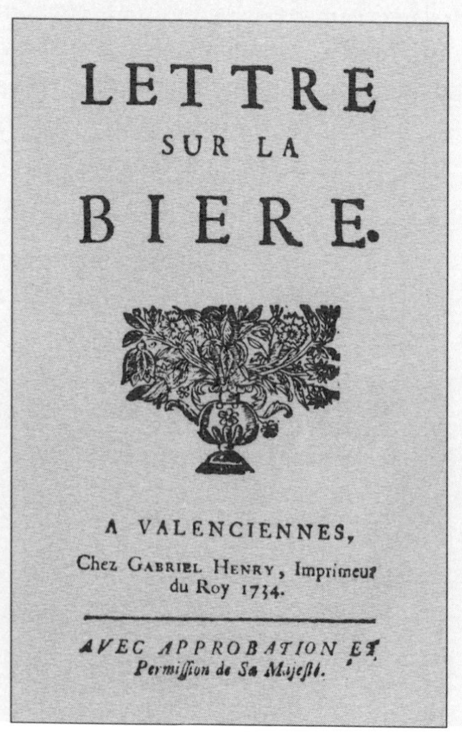
LETTRE
SUR LA
BIERE.

A VALENCIENNES,
Chez GABRIEL HENRY, Imprimeur du Roy 1734.

AVEC APPROBATION ET Permission de Sa Majesté.

d'usines monstres, capables de brasser des boissons à la mode pour le monde entier, mais d'unités régionales, issues du terroir dont on redécouvre les richesses et les secrets abandonnés : la blonde spéciale, la blonde dorée, la blonde blanche, la bière ambrée et la bière brune. Ces bières typiquement régionales affichent des noms à donner envie : l'Atrebate, Ch'ti, Pelforth, Saint-Landelin, Hommelpap, Jenlain, l'Angélus, l'Épi de Facon, la Choulette, la Saint-Poloise, la Tour d'Ostrevent, l'Abbatiale de Saint-Amand, la Trois Monts, la Bavaisienne, la Blanche de Lille…

Ce grand retour des "bières de spécialités régionales" prouve, s'il en était besoin, que le savoir-faire de nos maîtres-brasseurs n'est pas oublié et que les amateurs de "bonne bière" ne sont pas prêts à boire n'importe quoi.

1620

Assainissement des Moëres

Moerduwels, “les démons des Moëres” : voilà comment on appelait autrefois les habitants de ces lieux perdus entre terre boueuse et eaux salées. C’étaient de pauvres gens, rejetés de tous, vivant comme des sauvages sous des huttes d’argile et de branchages, avec pour toute nourriture le vol, la chasse et la pêche. La Grande Moëre, 3 000 ha, et la Petite Moëre, 200 ha, deux lacs d’eaux salées entourés de collines et de dunes : personne ne s’aventurait en ces lieux insalubres et réputés dangereux.

En 1617, un Anversois présenta aux archiducs Albert et Isabelle un projet qui rendrait cette zone salubre et les marais fertiles : il s’appelait Wenceslas Cobergher. Étonnant personnage. Au siècle précédent, il avait fui les poursuites de l’Inquisition pour se retirer en Italie et là ses talents de peintre, d’ingénieur et d’architecte avaient fait sa renommée. Marié à Rome, “il signor Vicenso” aura sept enfants. Cette célébrité attira l’attention des archiducs qui l’invitèrent à revenir au pays ; une sérieuse pension annuelle de 1 500 florins donnera du poids à la proposition.

Le plan de Cobergher était clair : il fallait assurer un écoulement régulier des eaux vers la mer. D’abord creuser un canal pour réunir les deux lacs, ensuite, élargir le Moervaert, canal des Moëres, qui se déversait à Dunkerque et créer deux autres canaux, le Molen gracht, fossé des Moulins, et le canal des Glaises. Les travaux commencèrent en 1620 et, en 1622, il ajouta un canal circulaire, le Ringsloot. Tout au long de la digue, vingt-deux moulins actionnaient des roues à aubes. Ainsi les eaux étaient rejetées à la mer par des petits ruisseaux qui avaient pour noms : le Rhin, l'Elbe, le Pô, le Tage. Cette zone marécageuse découvrit année après année fertilité et salubrité. Le succès était complet et inespéré.

Hélas ! ces efforts furent réduits à néant quelques années plus tard : en 1658, le marquis de Leyde, gouverneur de Dunkerque, ordonna d'inonder le pays pour se protéger contre l'avance des Français. Au siècle suivant, en 1793, nouvelle inondation, et il faudra attendre plus d'un quart de siècle pour voir les Moëres à nouveau asséchées.

En 1944 enfin, les Allemands brisent les écluses et ouvrent les digues. Maisons et fermes, routes et moulins, tout est sous les eaux. En 1946, les premiers habitants reprendront possession de leurs terres.

Aujourd'hui, certes, les pompes électriques ont remplacé les moulins à vent, mais l'œuvre de Winceslas Cobergher lui survit.

1640

"Quand les Français rendront Arras..."

En ce début du XVIIe siècle, la France doit faire face à l'hégémonie de la maison de Habsbourg autant qu'à la pression espagnole, sur ses frontières nord en particulier. Deux guerres s'en suivront, l'une contre l'Espagne dès 1635, l'autre contre Ferdinand III, empereur germanique. Deux traités y mettront fin, la paix de Westphalie en 1648 et le traité des Pyrénées en 1659.

Dans ce face-à-face que l'on appellera la guerre de Trente Ans, la prise d'Arras par les Français en 1640 marquera une étape importante.

Louis XIII et Richelieu quittent les palais royaux et s'installent à Amiens avec la ferme volonté d'enlever une fois encore aux Espagnols cette ville d'Arras et l'Artois, grenier à blé des Pays-Bas. Châtillon et La Meilleraye dirigent la manœuvre : la ville est entourée de circonvallations qui coupent toute communication avec l'extérieur. Les Espagnols envoient sur place une armée de secours de 30 000 hommes : allaient-ils essayer de rompre l'encerclement de la ville ou intercepter un convoi de vivres et de munitions protégé par 16 000 hommes et envoyé par Richelieu ? Rien n'y fait. Commencé le 16 juin, le siège se termine le 9 août.

Parmi les Français qui, ce jour-là, entrèrent dans la cité reconquise, quelqu'un eut la bonne idée de supprimer une lettre, une seule, à la proclamation espagnole, pour changer définitivement (?) le cours de l'histoire :

> *"Quand les Français (p)rendront Arras,*
> *Les rats mangeront les chats."*

1643

Rocroi et Lens

Les années suivantes seront des années noires pour les habitants de la campagne. Ils verront leur bétail volé ou réquisitionné, les récoltes détruites ou brûlées. Après la victoire d'Arras, Louis XIII prend la tête de son armée pour grignoter ce qu'il peut aux Espagnols : Aire-sur-la-Lys, puis Lens, La Bassée et Bapaume. Hélas ! l'année suivante, Don Francisco reprend aux Français Lens et La Bassée et inflige au roi de France une sanglante défaite à Honnecourt en mai 1642. La moisson des drapeaux français s'en ira enrichir le trésor de Saint-Jacques de Compostelle.

La confrontation se déplace vers l'est, vers les Ardennes. Vingt-sept mille Espagnols sont devant Rocroi. Le 19 mai 1643, le duc d'Enghien avec vingt-deux mille hommes dont six mille cavaliers triomphe de la plus redoutable infanterie espagnole. Cette fois, la voie est libre pour entrer en Flandre : Condé enlève Dunkerque le 10 octobre, il pousse même en vue de Lille, en dévastant Ham, Toufflers, Croix, Roubaix et Tourcoing.

L'archiduc Léopold se devait de réagir. La campagne de 1648 commence par une victoire pour les Espagnols qui reprennent Lens le 17 août. Mais le 20 août, Condé avec seize mille hommes et dix-huit canons manœuvre d'une façon telle que les Espagnols décrochent, laissent trois mille morts et cinq mille prisonniers, perdent leur artillerie et plus de cent drapeaux. Certes, ce n'est pas

Rocroi, mais cette victoire remportée dans la plaine de Lens ouvre la voie au traité de Westphalie qui mettra fin au conflit contre l'Empire germanique.

1652

La Bourse de Lille

Peut-on imaginer aujourd'hui cette cérémonie officielle qui réunit les représentants du roi d'Espagne et les notables sur la place de Lille, en ce 8 mars 1652, pour saluer la pose de la première pierre de la Bourse ? Chaque jour, les artisans et commerçants se rencontraient sur la place pour vendre, acheter ou tout simplement se voir et se rencontrer... tisserands, foulons, teinturiers, tondeurs, drapiers, maîtres tapissiers, ébénistes, brasseurs, boulangers, chaudronniers...

Ce sont les marchands qui proposèrent "une Bourse environnée et enclose de plusieurs belles maisons à l'endroit où est la fontaine au Change". Ils offrirent même de construire cette Bourse à leurs propres frais. Encore fallait-il l'autorisation du roi. Le premier Magistrat entreprit les démarches auprès de Philippe IV d'Espagne qui en accepta le principe. Quelques mois plus tard, les plans étaient présentés : vingt-quatre maisons recouvertes d'un toit commun en ardoise entourent une cour intérieure autour de laquelle une galerie couverte soutenue par vingt-quatre colonnes abrite les échanges, conversations et tractations des boursiers.

Julien Destrée, ingénieur et architecte né à Lille, est maître d'œuvre de la ville depuis de nombreuses années : c'est lui qui élèvera la Bourse de Lille.

C'est à l'initiative de la Chambre de Commerce de Lille que l'on doit la restauration que l'on découvre aujourd'hui.

1658

Dunkerque, espagnole, anglaise ou française ?

Au cours de l'été 1651, les Espagnols s'agitent et s'en viennent jusqu'aux portes de Dunkerque, puis s'en reviennent sur Furnes qui capitule le 5 septembre. Le 28 c'est au tour de Bergues, et le 18 octobre, le fort de Lynck est enlevé, puis Petite et Grande-Synthe, Spycker, Loon, Bourbourg, Steene et Hondschoote. Dunkerque est isolée.

L'hiver s'annonce rude. Le ravitaillement ne passe plus. Les Espagnols progressent et enlèvent Gravelines. Malgré toutes les promesses de Mazarin, les secours n'arrivent plus, ni par terre ni par mer. La résistance des Dunkerquois tiendra jusqu'à la dernière limite, si bien que le lundi 16 septembre 1652 à 6 heures du matin, le gouverneur d'Étrades remet la ville aux Espagnols et prend le chemin de Calais avec ses 8 000 soldats et 600 malades ou blessés.

Quelques années plus tard, des pourparlers s'engagent entre la France et l'Angleterre : face à l'Espagne omniprésente, une entente commerciale est conclue le 3 novembre 1655, suivie d'une alliance offensive et défensive signée en mars 1657. L'accord prévoyait qu'en cas de victoire, Dunkerque irait aux Anglais et Gravelines aux Français. L'essentiel pour les uns et les autres était d'en finir avec les Espagnols.

Au mois d'avril, Turenne rassemble 20 000 hommes et, côté anglais, 40 navires et 6 000 hommes. Premier objectif, Bourbourg, ensuite Mardyck. Restait Dunkerque et les places tout autour tenues par les Espagnols : Nieuport, Furnes, Ypres, Bergues, Saint-Omer, Gravelines. Approche rendue difficile puisque le marquis de Leyde vient de faire ouvrir les écluses autour de Dunkerque, inondant la plaine maritime. L'armée française avance par les digues vers Socx et, sur des chemins garnis de fascines, s'approche de Dunkerque par les dunes de l'est. Côté espagnol, on s'inquiète : Don Juan est à Ypres et rassemble 4 000 cavaliers. Parmi eux, Condé qui a mis son épée au service de l'Espagne. Mieux que personne, il connaît le terrain.

Le 14 juin 1658, à 5 heures du matin, Turenne fait avancer ses hommes à l'abri des dunes. À 8 heures la bataille est engagée, elle durera jusqu'à midi. Condé, Don Juan et le duc d'York prennent la fuite vers Zuydcoote, laissant sur le champ de bataille des Dunes 1 000 morts et 4 000 prisonniers dont 500 officiers. Pour enlever Dunkerque, les combats se poursuivront jusqu'au 23 où les Espagnols feront battre la chamade.

Le soir même, le roi Louis XIV était à Dunkerque et visitait le champ de bataille des Dunes. Le 25 juin, la garnison espagnole quittait Dunkerque au petit matin, ensuite le roi faisait son entrée solennelle en ville, recevait les clefs, se rendait à l'église Notre-Dame des Dunes le temps d'un Te Deum... et quittait Dunkerque, laissant la ville entre les mains des Anglais, comme prévu dans les accords.

C'est ainsi qu'il est arrivé en ce 25 juin 1658 que Dunkerque soit espagnole au matin, française à midi et anglaise le soir !

Dans les semaines qui suivirent, Turenne enleva Bergues, Furnes, Dixmude et Gravelines.

1660-1720

À la découverte du charbon

En labourant son champ, un paysan d'Hardinghem, dans le Boulonnais, mit au jour un étrange filon de terre noire... Après examen, il fallut bien accepter de dire que ce n'était pas de la terre... Alors, quoi ? Des messieurs instruits vinrent de la ville pour examiner ce fameux filon de terre noire dont on parlait dans toute la région. Ils annoncèrent, "du charbon" ! Le charbon était bien là. Du charbon pour remplacer le bois, pour les verreries de la région, quelle aubaine ! Nous étions en 1660.

Les imaginations travaillent et ces messieurs de la ville étudient les cartes : puisqu'il y a du charbon en Westphalie, à Liège, à Charleroi et à Mons, pourquoi n'y en aurait-il pas entre Mons et le Boulonnais, dans la région de Valenciennes ou dans la région de Béthune, par exemple ?

Vient le traité d'Utrecht, signé en 1713 qui enlève à la France le Tournaisis et son charbon. Dès lors, comment alimenter les industries qui en réclament ? Trouver du charbon sur le territoire français devient une urgence. Encouragé par le pouvoir royal, tout le monde s'y met. On creuse un peu partout, au hasard. Les baguettes magiques s'agitent… et se trompent. En 1716, une dizaine de puits sont ouverts, on creuse et on pompe l'eau jour et nuit. Pas de découragement puisque ici et là des traces noires se mêlent à l'eau… rien que des traces noires, des traces seulement.

Le puits du bois Collard, près de l'Escaut, à Fresnes, est ouvert depuis quatre ans. Jacques Mathieu et son équipe de mineurs sont arrivés à 70 m de profondeur et c'est là que, le 3 février 1720, ils découvrent une superbe veine de charbon maigre de 1,20 m d'épaisseur. Moins d'un an plus tard le cuvelage cède et l'eau inonde le puits qui n'avait fourni que 300 charrettes de charbon.

Qu'à cela ne tienne, la fièvre de l'or noir se propage : on creuse entre Arras et Cambrai, entre Aire-sur-la-Lys et Lillers, dans la région de Douai, à Anzin et à Esquerchin, même les chevaux sont mobilisés. En 1789, la région compte plus de 40 puits, 4 000 ouvriers et employés y travaillent et la production dépasse les 300 000 tonnes !

Enfin, la preuve était là, claire et nette. Le charbon tant recherché et tant attendu était fidèle au rendez-vous. En ce 3 février 1720, à Fresnes-sur-l'Escaut, commençait la saga des mineurs du Nord-Pas-de-Calais.

1662

4 500 000 écus d'or pour Dunkerque

Qui tient Dunkerque tient les corsaires. Les Anglais l'avaient bien compris et voilà pourquoi, dans les années 1660, la garnison anglaise ne faisait que se renforcer. Louis XIV rongeait son frein, bien décidé à profiter de la première occasion de ramener dans le royaume de France le port de Dunkerque.

L'occasion se présenta en 1662. Charles II, roi d'Angleterre, s'était engagé dans des dépenses exorbitantes pour soutenir le Portugal contre l'Espagne et pour la Jamaïque. Les caisses étaient vides... Que faire ? Pas question de vendre les bijoux de la couronne ! Le chancelier Hyde de Clarendon le décida à vendre Dunkerque qui coûtait plus à la couronne qu'elle ne pourrait jamais lui rapporter. Les pourparlers s'engagèrent dans le plus grand secret. Pendant plusieurs mois on discuta gros sous : le comte d'Estrades menait les négociations. Les Anglais réclamaient 12 millions ; Louis XIV en offrait 4, rien de plus. Finalement les Anglais descendirent à 7 millions et Louis XIV accepta de s'en tenir à 5 millions. Charles II voulait être payé comptant, au moins pour la moitié de la somme. La chronique raconte qu'un convoi de 46 charrettes, chargées d'or, escorté par les Mousquetaires du Roi quitta le Louvre pour prendre le chemin de Dunkerque. Les espèces sonnantes et trébuchantes furent comptées, pesées et vérifiées une à une : ce travail dura des semaines. Si bien que le traité signé le

27 octobre 1662 ne prendrait effet que le 28 novembre. L'or avait accompli ce que guerres et batailles n'avaient pu obtenir.

L'Europe entière salua cette heureuse négociation menée sous l'autorité du jeune roi de France par des négociateurs habiles. Par contre, chez les Anglais, ce fut l'explosion de colère contre le roi et le chancelier Clarendon. Avec la perte de Calais et Dunkerque, les Anglais n'avaient plus de tête de pont sur le continent. Sur le plan stratégique, à l'époque, c'était une erreur militaire et diplomatique de première importance.

On comprend l'impatience de Louis XIV. Il quitte Versailles le 30 novembre, traverse Abbeville, passe la nuit du 1er décembre à Calais et le 2 décembre prend la route de Dunkerque, déjeune à Gravelines et se présente aux portes de la ville à 3 heures du matin ! Dunkerque est décorée, la foule se presse dans les rues et devant l'hôtel de ville. C'est le comte d'Estrades lui-même qui reçoit le roi. Cinq escadrons de cavalerie ouvrent le cortège, viennent ensuite les gendames, les mousquetaires et les gardes du corps. Enfin, voici le roi Louis XIV entouré des princes et des officiers de la Couronne.

Après avoir subi trente-trois sièges en mille ans, en ce 2 décembre 1662, Dunkerque est française à jamais ! Elle deviendra, pour la France, la sentinelle avancée sur la mer du Nord.

1664

Les manufactures royales : Beauvais, Saint-Gobain, Abbeville

"Il faut rétablir ou créer toutes les industries, même de luxe ; établir le système protecteur des douanes ; organiser les producteurs et les commerçants en corporations ; alléger les entraves fiscales nuisibles à la population ; restituer à la France le transport maritime de ses produits ; développer les colonies et les attacher commercialement à la France et développer la marine militaire pour protéger la marine marchande." Ce plan, Colbert le poursuivra méthodiquement avec un incroyable acharnement au travail. Il a l'œil sur tout : subventions à la création d'entreprises, prêts et privilèges, commandes de l'État, monopole de vente et mise en place de grandes manufactures.

Ainsi naîtront l'arsenal et la corderie de Rochefort, la Compagnie des Indes orientales, les Gobelins, la Savonnerie, la manufacture d'armes de Saint-Étienne, la manufacture Van Robais à Abbeville et la Compagnie de Saint-Gobain.

À son mandataire à Lille, Colbert fait savoir : "Sollicitez fortement le particulier qui entreprendra un établissement de le réussir et, s'il a besoin de la protection du roi, vous pouvez lui assurer qu'elle ne lui manquera pas."

Beauvais, la Manufacture de tapisserie (1664)

Après avoir acheté l'ancienne teinturerie des Gobelins, en 1662, pour y ouvrir la Manufacture royale des meubles de la Couronne, Colbert décida d'ouvrir à Beauvais la Manufacture royale de tapisserie. Un peintre renommé en assura la direction artistique : Jean-Baptiste Oudry. Partout en Europe, on réclamait le mobilier, les tapisseries et les tentures sortis de ces ateliers désormais célèbres.

(Ne pas manquer, la Galerie nationale de la tapisserie et, au musée départemental de l'Oise, la célèbre série de tapisseries de l'*Histoire fabuleuse des Gaules*.)

Saint-Gobain, Manufacture royale des glaces de France (1665)

Pourquoi laisser à la République de Venise le monopole des glaces ? Pour répondre à cette question, Colbert fit venir à Paris quatre maîtres verriers de Murano. Leur atelier fut installé au faubourg Saint-Antoine. On y fabriquait "des glaces de miroir et autres ouvrages de cristal". Le succès appelait des agrandissements et les ateliers furent transférés à Saint-Gobain, proche de la forêt de Coucy qui fournirait le bois. À partir de 1695, on y fabriqua des glaces soufflées puis des glaces coulées : pour les miroirs, on recouvrait la glace de nitrate d'argent qui résistait à l'usure.

La Manufacture royale des glaces de France reste une création exemplaire de Colbert. Elle a survécu à tous les régimes politiques et demeure un des fleurons du rayonnement technique de la France à l'étranger.

Abbeville, la manufacture royale Van Robais (1665)

C'est à la demande de Colbert que Josse Van Robais quitta Middelburg en Zélande pour ouvrir à Abbeville une manufacture de draps fins "façon de Hollande et d'Espagne". Avec le titre de manufacture royale lui sont attribués certains privilèges : exemptions fiscales, protection de la marque et des procédés de fabrication, une subvention de 12 000 livres, naturalisation des cinquante familles hollandaises qui l'accompagnent et leur exemption de tous subsides et impositions (y compris le droit de pratiquer la religion protestante).

Le succès fut rapide et la qualité des produits reconnue et recherchée dans toute l'Europe. La manufacture a compté jusqu'à 1 600 ouvriers. La révocation de l'édit de Nantes ruina tous les espoirs de développement de la cité.

En 1710, son fils, Van Robais de Rixdorf, crée la Maison des Rames qui employa jusqu'à 2 000 personnes. S'ajouteront par la suite le commerce international par voie maritime, les fournitures aux armées et une banque familiale.

Abraham Van Robais, comme tous les puissants de l'époque, se fit construire une demeure à la campagne. Le château de Bagatelle s'élève au milieu d'un jardin à la française complété d'un jardin à l'anglaise... (À visiter absolument.)

1667

Lille en France

Au printemps 1667 commence la chevauchée de l'armée du roi vers la Flandre et la Franche-Comté. Les Droits de la Reine une fois proclamés, Louis XIV revendique certaines provinces des Pays-Bas espagnols. L'année 1667 sera l'année de tous les bouleversements sur la frontière nord du royaume.

Accompagné de Turenne, Louvois et Vauban, le roi conduit la guerre de Dévolution aux résultats sur le terrain étonnants et rapides. Tombent Charleroi, Armentières, La Bassée, Bergues, Furnes, Tournai et Douai. Puisque c'est au nom de la reine que le roi prend possession des villes de Flandre, Louis XIV s'en revient à Compiègne et l'invite à l'accompagner.

Le 10 août, la cavalerie encercle Lille : l'alarme est donnée, le tocsin sonne. Le siège commence, conduit par Turenne et Vauban, en présence du roi. Deux mille quatre cents hommes et 900 cavaliers tiennent la ville. La défense fut "courageuse et admirable" mais les Espagnols ne pouvaient rien sans renforts. Il n'y en eut pas. Dans la nuit du 27 au 28 août, la capitulation fut signée dans une ferme, à Fives, et le gouverneur espagnol quitta la ville accompagné de la garnison vers les 9 heures du matin.

Le jour même, le roi fit son entrée : "Il était monté sur un cheval, comme un César, la tête élevée, droite, d'une bonne taille ; son justaucorps tout entièrement brodé de fin or et d'argent, le fond était bleu ; il avait sur la tête un chapeau avec un panache rouge dressé... Il avait toutes les qualités requises à la majesté d'un Roi." Il reçut les clefs à la porte des Malades, se rendit à l'église Saint-Pierre où il entendit un Te Deum en la chapelle Notre-Dame-de-la-Treille, puis les notables lui firent serment. "En 1667, les Lillois n'avaient aucune sympathie pour les Français. Ils étaient non pas bons Espagnols, mais bons Bourguignons." Il est vrai que les ducs de Bourgogne n'avaient pas seulement choisi Lille comme capitale mais avaient donné une formidable impulsion économique, culturelle et sociale à toute la région. Il faudrait du temps pour tout oublier.

Première décision : tenir la ville et donc bâtir hors la cité une citadelle capable de la défendre. Vauban reçoit cette mission et, deux mois plus tard, présente au roi ses projets. Acceptés. Le 28 décembre 1667, 400 ouvriers commencent à creuser les fossés de la citadelle et, pendant ce temps, Vauban aidé par Simon Vollant choisit les pierres, le bois, l'argile pour les briques et les fours pour les cuire, les menuisiers, les tailleurs de pierre, organise les transports... En mars 1670, l'essentiel des travaux est terminé et Louis XIV, impatient, vint à Lille pour découvrir enfin "la Reine des Citadelles" dont toute l'Europe parlait.

1673

D'Artagnan, gouverneur de Lille

Dans la nuit du 27 au 28 août 1667, le gouverneur espagnol de Lille fait battre la chamade. Les combats cessent. Les négociations commencent et la capitulation approche. La garnison espagnole, gouverneur en tête, quitte la ville en défilant "mèche allumée et balle en bouche" devant l'armée française rangée en bataille. Louis XIV fait son entrée "en sa bonne ville de Lille" : le cortège est somptueux, le peuple se presse, on chante un Te Deum et à la nuit tombée on allume des feux de joie…

Restait à gérer la paix, comme on le dit aujourd'hui. Louis XIV charge Vauban de mettre la ville en sécurité en commençant au plus tôt les travaux de la citadelle. Trois ans plus tard, il visitera lui-même la citadelle terminée.

Un gouverneur est nommé – c'est un rôle militaire –, le marquis de Bellefonds d'abord et, après lui, le maréchal d'Humières. Celui-ci, tombé en disgrâce est aussitôt remplacé par Charles de Batz-Castelmore, comte d'Artagnan.

"Le gouvernement de d'Artagnan n'est pas de tout repos ; âgé de 52 ans, capitaine-lieutenant de la première compagnie des Mousquetaires (la plus belle charge du royaume, écrit Colbert), maréchal de camp, le gouverneur de Lille n'admet pas qu'on lui "manque". Il entre en conflit à deux reprises avec des collaborateurs de Vauban. Louvois, fort ennuyé, doit dépenser des trésors de diplomatie pour apaiser ces discussions sans vexer aucune susceptibilité. Pour les Lillois, il est surtout important de retenir que d'Artagnan, nommé "commissaire au renouvellement de la loi", exerce ses fonctions avec "beaucoup de conscience..." (A. Gérard, *Les Grandes Heures de Lille*.)

En cette année 1673, d'Artagnan étant gouverneur de Lille, Louis XIV l'appella à ses côtés pour en finir avec le siège de Maëstricht réputée imprenable. Au cours de l'assaut qu'il conduisait en personne, à la tête de ses hommes, Charles de Batz de Castelmore tomba, frappé à la gorge par une balle de mousquet, le 25 juin 1673.

Une stèle vient d'être inaugurée à l'endroit même où d'Artagnan tomba. Elle rend hommage à son courage et à sa bravoure.

1679

Vauban et le "Pré carré"

Jamais la frontière nord entre le royaume de France et l'armée espagnole n'a été aussi partagée, découpée "en dents de scie". À la France, Dunkerque, Bourbourg, Furnes et Bergues, Lille, Tournai et Douai, Ath, Courtrai, Audenaerde, Gand et Bruxelles, Charleroi, Binche et Avesnes. À l'Espagne, Ypres et Cassel, Aire et Saint-Omer, Merville, La Gorgue, Cambrai, Valenciennes et Bouchain, Bavay et Maubeuge... C'est un puzzle.

Une “rectification des frontières” s’annonce inévitablement.

Hollande, Angleterre et Espagne s’unissent à l’empereur et aux princes allemands, jusqu’au duc de Lorraine. Face à la coalition, Louis XIV, avec Louvois et Le Tellier, a rassemblé 120 000 soldats bien équipés et entraînés. Au printemps 1673, Turenne et Condé (Condé a obtenu son pardon au traité des Pyrénées) enlèvent Maestricht réputée imprenable. L’année suivante la guerre est partout, sur le Rhin, en Flandre et en Franche-Comté.

Une terrible bataille a lieu au nord de Tournai, tout au long du cours de l’Escaut : les alliés avec 65 000 hommes s’avancent vers Valenciennes, Bouchain et Cambrai : est-ce la voie ouverte vers Paris ? Condé manœuvre à merveille avec 40 000 hommes et remporte une sanglante victoire à Seneffe. Les Français y ont perdu 8 000 hommes et les alliés 12 000. Plus de 100 drapeaux pris à l’ennemi iront à Versailles.

L’année 1675 verra les garnisons françaises s’installer à Liège, Huy, Dinant, Tongres et Tirlemont. La vallée de la Meuse est occupée. Les Hollandais sont séparés de l’empire.

La frontière nord reste un immense champ de bataille en cette année 1676 puisque tombent entre les mains du roi Louis XIV Aire, Bouchain et Condé. Aucune paix ne s’annonce. La guerre continue.

1677 : Vauban a proposé au roi un plan d’offensive rapide à mettre en œuvre dès le début du mois de mars : Valenciennes est enlevée en quelques jours. Au mois d’avril, c’est Cambrai et Saint-Omer.

Il faudra attendre 1678 pour qu'enfin on annonce la fin des négociations à Nimègue, mais en attendant de furieux combats auront encore lieu à Mons. La Hollande, l'Espagne et l'empereur signèrent le traité de Nimègue le 10 août 1678. La France cédait Maëstricht mais conservait la Franche-Comté, Valenciennes, Bouchain, Condé, Cambrai, Aire, Saint-Omer, Ypres, Warneton, Poperingue, Bailleul, Cassel, Bavay et Maubeuge.

Enfin, le royaume se dotait d'une frontière clairement définie dont on négocierait le tracé tout au long de l'année 1679 à Courtrai. La défense du "Pré carré" prenait forme.

1685

Révocation de l'édit de Nantes

Depuis 1598, l'édit de Nantes avait établi les bases d'une tolérance religieuse. En réalité, plus qu'à la tolérance on pensait à l'union, la concorde, la tranquillité et le repos. Les premiers signes d'une révision apparaîtront en 1629 avec l'édit d'Alès et ses contraintes politiques : en haut lieu on soupçonnait les huguenots d'entente secrète avec les Provinces-Unies et l'Angleterre. Plus tard, tous les moyens seront bons pour les "persuader" à la conversion. Le roi Louis XIV croit en son destin de rendre à l'Église une France "expurgée" du protestantisme.

Dans les années 1679-1685, plusieurs édits remettent en cause les arrêtés pris en 1598. La persécution agit désormais au grand jour : les dragonnades s'imposent en Poitou, en Languedoc, dans les Cévennes et en Dauphiné. Elles s'accompagnent de confiscations, violences, vols et meurtres. Il y eut, paraît-il, 700 000 "conversions" en quelques mois.

L'édit de Fontainebleau signé le 18 octobre 1685 officialise la répression dont une des conséquences les plus tragiques sera le départ de plus de 300 000 huguenots vers la Hollande, la Prusse, l'Angleterre et la Suisse. Ils emportent leurs capitaux, leur savoir-faire et leur énergie. C'est une élite de techniciens et de chefs d'entreprise qui enrichira les pays d'accueil où ils créeront souvent des foyers hostiles à la France.

Proche des luthériens de Hollande, la Réforme se propagea très tôt dans nos pays du Nord. Dès les années 1560, les "hérétiques" sont arrêtés et exécutés à Quesnoy-sur-Deûle, Armentières, Lannoy, Tourcoing, Wambrechies, Mouvaux, Bondues, Marquette et Marcq. La pression de l'Inquisition est telle que de nombreuses familles fuient. Les Leman à Londres installent l'industrie de la soie, les Tourquennois mettent en place, à Leyde, les techniques du travail de la laine. Trente-deux familles "wallonnes" réfugiées à Amsterdam embarquent vers la Nouvelle Hollande et achètent aux Indiens l'île de Manhattan, aujourd'hui New York : parmi ces aventuriers les Dutrieu, les Bayard, les Maton, les Caron, les Gille, Face, d'Halluin, Lecocq, Coisne, Baseau. D'autres iront plus loin encore : 150 à 200 familles de chez nous sont parties de Hollande vers l'Afrique du Sud pour y planter les premiers vignobles et organiser les premiers élevages : parmi eux, les Delporte, Dutoit, Mouton, Jacob, Bélusé, Buys, Hanseret, Bisseux, Costeux, Manier, Prévost, Warand, Ruelle, Nortier…

Dans la région de Montreuil et Calais, des communautés protestantes survivent, plus ou moins tolérées. Guînes semble avoir été le centre actif du protestantisme dans le nord de la France : le temple, qui pouvait accueillir 3 000 fidèles, fut détruit en 1685. Dès lors l'émigration vers Canterbury, Lausanne et Leyde s'intensifie : il semble que 2 700 protestants quittèrent Guînes et sa région à cette époque. On les retrouve encore aujourd'hui à Londres, en Norvège et Suède, au Brésil et en Afrique du Sud.

Dans ses dernières années, Louis XIV verra l'Europe entière se mobiliser contre son despotisme absolu. La répression intervenue avec la révocation de l'édit de Nantes y est pour beaucoup. En France, quelques voix s'élèvent pour oser critiquer cette politique : Fénelon à Cambrai et Vauban à Lille.

1695

Fénelon, archevêque de Cambrai

Tombée entre les mains du roi Louis XIV en 1677, la ville avait connu la domination espagnole pendant plus de quatre-vingts ans ! À Cambrai comme à Lille, il faudra du temps pour "s'acclimater" à la France.

Comme il faudra du temps à François de Salignac de La Mothe Fénelon pour accepter l'exil que lui imposait le roi en le nommant archevêque de Cambrai. Cause de cet exil, une dispute théologique qui opposait Bossuet et Fénelon : la fameuse "querelle du quiétisme" prend une telle ampleur que le pape Innocent XII intervient pour condamner vingt-huit propositions extraites des *Maximes des saints* (1699).

Soumission exemplaire de Fénelon qui, dès lors, se consacre entièrement à son diocèse qui s'étend de Cambrai à Avesnes, jusque Mons, Enghien et Ath, mais la guerre, la famine et le mauvais état des routes paralysent son action. Il conserve un regard sur tout ce qui, à la jonction de deux siècles, éveillait sa curiosité : politique intérieure et internationale, éducation, beaux-arts et littérature, théologie et mystique. Opposé à Bossuet, "l'aigle de Meaux", Fénelon, "le cygne de Cambrai", continuera de marquer de son influence les grands de son temps. *Télémaque* d'abord et ses nombreux écrits disent assez que même en exil, il reste un homme libre.

"Il faut être toujours prêt à faire la guerre, pour n'être jamais réduit au malheur de la faire" (*Télémaque*).

"Tout le genre humain n'est qu'une famille dispersée sur la face de toute la terre. Tous les peuples sont frères et doivent s'aimer comme tels" (*Télémaque*).

"Les princes ont un pouvoir infini sur ceux qui les approchent ; et ceux qui les approchent ont une faiblesse infinie en les approchant" (*Devoirs de la Royauté*).

"Les traités de paix ne couvrent rien, lorsque vous êtes le plus fort, et que vous réduisez votre voisin à signer le traité pour éviter de plus grands maux ; alors il signe comme un particulier donne sa bourse à un voleur qui lui tient le pistolet sous la gorge" (*Devoirs de la Royauté*).

XVIIIe siècle

La route des villes fortifiées		151
1702	Jean Bart	154
1707	Vauban	156
1708	Lille, Malplaquet, Denain et la paix d'Utrecht	158
1720	Découverte du charbon à Fresnes	161
1784	À la conquête de l'espace	163
1786	Parmentier développe la culture de la pomme de terre	165
1788	L'orage de 13 juillet 1788	167
1792	Lille, Hondschoote, Wattignies, Tourcoing	169
1794	De Sainte-Catherine à Ménilmontant	171
1799	De Dunkerque à Barcelone : la Méridienne	173

La route des villes fortifiées

La frontière nord, sans cesse battue et rebattue au cours des siècles par nos voisins, riche de ses récoltes et de ses industries, de ses villes aux marchés reconnus, excitait les convoitises des uns et des autres. Cette frontière nord, sans point de repère, sans fleuve et sans montagne formant barrière… la seule façon de marquer le terrain fut de mettre en place un chapelet de citadelles. Vauban reçut mission du roi de construire une double ligne de défense qui mettrait le pays à l'abri des incursions venant du nord. Il se mit au travail et en assuma la charge jusqu'à l'âge de 73 ans.

En première ligne de défense, de la mer du Nord aux Ardennes, Dunkerque, Bergues, Furnes, Ypres, Menin, Lille, Tournai, Condé, Valenciennes, Le Quesnoy,

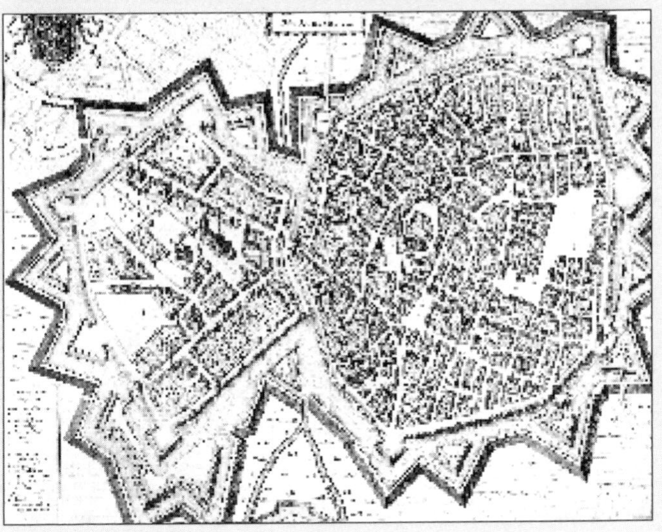

Arras.

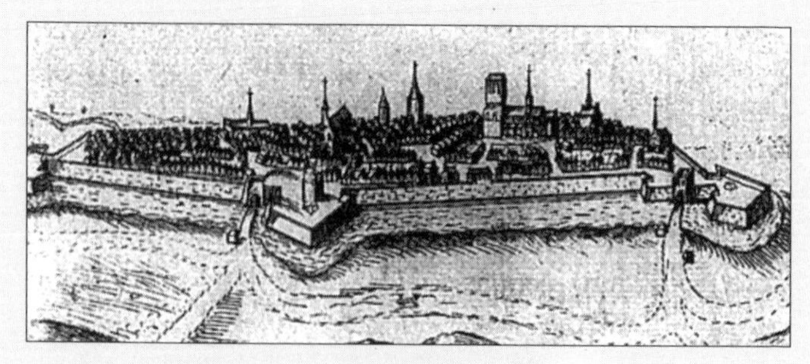

Avesnes-sur-Helpe.

Maubeuge, Philippeville. En seconde ligne Gravelines, Saint-Omer, Aire, Béthune, Arras, Douai, Bouchain, Cambrai, Landrecies, Avesnes, Mariembourg, Rocroi.

Au XIXe siècle, ces remparts devenus inutiles sous les coups de l'artillerie lourde furent détruits. Combien de boulevards circulaires ne sont que le souvenir oublié des enceintes fortifiées d'autrefois. Encore fallait-il voter les budgets nécessaires : plusieurs villes ne doivent la survie de leurs remparts qu'à ce vote négatif !

Cette période de destruction est terminée. On a fini par comprendre que ces citadelles et ces portes fortifiées font partie intégrante de notre histoire et de notre patrimoine. Vauban, jusqu'à la fin de ses jours et jusqu'à l'épuisement de ses forces, a tenu à rester sur cette frontière nord

Gravelines.

pour en assurer la sécurité. Le Pré carré, la protection du pays, c'est lui, et pas seulement lui, mais aussi tous ces hommes qui ont construit ces défenses, qui ont combattu et sont morts sur ces murs.

Chaque année, la Journée des villes fortifiées donne à chacun l'occasion de visiter ces sites souvent interdits au public. Sur les trente-deux villes fortifiées, vingt-deux sont restées françaises après les traités de 1714 et, sur ces vingt-deux villes, treize nous sont arrivées bien conservées ou bien restaurées.

(Voir, au sous-sol du palais des Beaux-Arts de Lille, les maquettes des places-fortes des pays du Nord ainsi qu'aux musées d'Arras, Cambrai et Gravelines.)

1702

Jean Bart

Quand on évoque Jean Bart on ne pense souvent qu'au corsaire courant sus à l'ennemi malgré les brouillards et les tempêtes, et désorganisant les admirables ordonnancements des armadas hollandaises ou anglaises. C'est oublier que plus d'une fois, ordre était donné à Jean Bart de protéger les convois de blé dont la France avait besoin. Le règne de Louis XIV, c'était Versailles et ses fastes, c'était aussi, hélas ! la guerre, les invasions et la misère dans les campagnes. Du blé. Il fallait ramener du blé au pays.

Une première fois, en janvier 1694, il quitte Dunkerque pour se rendre en Norvège et prendre en charge un convoi de 30 navires emplis de blé. Le 16 mars, ils sont tous à Dunkerque, intacts, malgré la menace des escadres anglaises et hollandaises. C'est un exploit salué partout.

Fin mai, nouvelles instructions : il s'agit cette fois de prendre en charge en Norvège 120 navires chargés de blé : une véritable flotte commerciale. À cause du mauvais temps, il ne quitte Dunkerque que le 26 juin et pendant ce temps les 120 navires prennent le départ, pressés d'arriver en France. Hélas ! toute la flotte française est capturée dans la nasse hollandaise.

Jean Bart, se doutant du traquenard, navigue vers le nord, mais au plus près de la côte. Le 29 juin, à 3 heures du matin, au large de l'île de Texel, c'est la rencontre.

Elle est inégale. Jean Bart commande 7 navires et 302 canons – les Hollandais ont 8 gros vaisseaux et 388 canons. La bataille s'engage, brève mais particulièrement violente. Le vice-amiral hollandais est blessé et capturé ainsi que ses officiers : il perd plus de 100 hommes et 3 vaisseaux.

L'arrivée à Dunkerque après cette victoire de Texel fut un triomphe : Jean Bart ramenait le blé dont le pays avait un besoin urgent et, en plus, trois bateaux de prise. Tout le royaume chanta les faits d'armes de Jean Bart et de ses marins. Louis XIV lui octroya des lettres d'anoblissement pour avoir "sauvé la France en lui donnant du pain".

C'est à bord du *Fendant* qu'il rentra au port pour la dernière fois le 11 avril 1702, après avoir affronté entre Le Havre et Dunkerque des coups de vent de plus en plus rudes. Une flottille l'accompagnait : sept gros vaisseaux, huit frégates et huit galiotes à bombes. Ce soir-là, au cours de son inspection, il prit froid. Lui qui essuya tant et tant de mauvais coups en mer, c'est dans son lit qu'il mourut d'une pleurésie, le 27 avril 1702.

Jean Bart a introduit sur mer une stratégie nouvelle et inattendue, une sorte de guérilla moderne, menée sans répit sur l'océan. Attaques surprises, canonnades, abordages, ruses et contre-ruses, mouvements rapides de navires légers, Jean Bart désorganisait et surprenait les superbes déploiements des flottes de guerre de l'époque. Il jetait l'insécurité sur les routes maritimes de la mer du Nord et de la Manche.

"Jean Bart, salut ! salut à ta mémoire,
De tes exploits tu remplis l'univers
Ton seul aspect commandait la victoire
Et, sans rival, tu régnas sur les mers..."

(*Cantate à Jean Bart.*)

1707

Vauban

Il ne s'intéressait pas seulement à la guerre et aux fortifications, les écrits qu'il a laissés le montrent ouvert et attentif aux grandes questions de son temps – le roi est-il maître absolu des vies et des biens ? – le danger d'éloigner les protestants du pays – la natalité – le canal du Languedoc – le développement des forêts – l'évolution de la Picardie – la culture en Flandre – les galères – les monnaies – les censures et les excommunications – les colonies d'Amérique... Tout l'intéressait, mais l'écrit auquel il travaillait le plus, c'était son projet de réforme de l'impôt. Ce *Projet d'une Dîme Royale*, Vauban en avait parlé avec ses amis les plus proches et s'en était ouvert au roi lui-même.

Après avoir parcouru la France entière, de Dunkerque à Collioure, de Bayonne à Brest, de Strasbourg à Camaret, de Cherbourg à Lille, il était probablement l'homme qui en savait le plus sur l'état du royaume. Combien de fois, à l'étape, avait-il eu l'occasion d'écouter les questions, les propositions et les inquiétudes des notables et du peuple. Ce qui lui apparaissait comme le plus flagrant, c'était les pressions qui s'exerçaient sur le peuple, pressions fiscales de toutes sortes. Voilà pourquoi il proposait la levée d'un impôt sur tous les Français, le peuple, les nobles, le clergé et même le roi et la famille royale. Tous égaux devant l'impôt. L'idée même d'une telle réforme faisait peur et plaçait Vauban dans le camp des gens "dangereux".

Qu'à cela ne tienne, à Lille, Vauban termine son travail, le fait imprimer à cent exemplaires, les emporte à Paris et les fait distribuer un à un à ses amis… Par qui a-t-il été trahi ? Toujours est-il que le roi est alerté et ne décolère pas. La Justice condamne le livre, le fait saisir et mettre au pilon. Certains historiens disent même que Vauban aurait échappé de peu à l'arrestation, voire à la Bastille : "Quand même pas Vauban" !

Contrarié, fatigué et malade, il s'affaiblit. Le roi lui envoie le médecin du dauphin, mais rien n'y fait. Son état s'aggrave rapidement. Monsieur de Vauban, Maréchal de France, meurt à Paris le 30 mars 1707, couvert de gloire et oublié de tous. Peu de monde à ses funérailles hâtives, le surlendemain, en l'église Saint-Roch à 7 heures du soir…

Est-il mort de chagrin ? Le maréchal de Vauban était un serviteur de l'État trop exigeant. Voilà sans doute pourquoi il dérangeait trop de monde.

> *"La partie la plus ruinée et la plus misérable du Royaume, c'est celle qui est la plus considérable par son nombre et par les services réels qu'elle lui rend, car c'est elle qui porte toutes les charges,*

qui a toujours le plus souffert et qui souffre encore le plus, et c'est sur elle que tombe la diminution des hommes qui arrive dans le royaume par les guerres."

(*Projet d'une Dîme royale*)

"Tout privilège qui tend à l'exemption de cette contribution est injuste et abusif, et ne peut ni ne doit prévaloir au préjudice du public."

(*ibid.*)

1701-1713

Lille, Malplaquet, Denain et la paix d'Utrecht

Le roi Charles II d'Espagne meurt sans enfant. Le problème de sa succession va plonger à nouveau l'Artois, le Hainaut et la Flandre dans les pires horreurs de la guerre. Tout le monde s'intéresse à cette succession : le dauphin de France, le prince électeur de Bavière et l'empereur Léopold. De plus l'Angleterre et la Hollande n'accepteraient jamais que se reconstitue l'empire de Charles Quint. La guerre de la succession d'Espagne était inévitable : elle frappera à Lille, Malplaquet et Denain.

1708, le siège de Lille

Le duc de Marlborough, vainqueur à Blenheim et à Ramillies, et le prince Eugène de Savoie attendent l'armée de Vendôme devant Audenarde : les Français y perdent 3 000 morts, 4 000 blessés, 8 000 prisonniers et 3 000 déserteurs. C'est un désastre. Forts de ce succès, Marlborough et le prince Eugène décident d'enlever Lille pour "porter la guerre au cœur de la France".

Malheureusement, Boufflers ne disposait que de 8 000 hommes face aux alliés qui avaient rassemblé 45 000 hommes et 120 canons de gros calibre, 40 mortiers et 20 obusiers. Le 13 août 1708, Lille est isolée. Les renforts, mal commandés et hésitants, perdront du temps et arriveront trop tard. Malgré tout, Boufflers tiendra la ville, puis la citadelle jusqu'au 8 décembre. "Quatre mille hommes mal équipés, mais de bonne troupe" quittèrent Lille avec les honneurs de la guerre. Voilà donc Lille devenue hollandaise... jusqu'à la paix d'Utrecht.

11 septembre 1709, Malplaquet

Après Lille tombent Gand et Bruges. Arrive l'hiver : un hiver que personne n'avait jamais connu, un hiver de fin du monde qui dura trois mois. Les chênes les plus solides se fendent et la famine s'installe. À qui fournir le blé ? aux habitants à qui tout manque ou à l'armée ?

Louis XIV place le maréchal de Villars face à la coalition. À partir de Douai, il lance ses défenses vers Pont-à-Vendin et Valenciennes. Pendant ce temps, Tournai tombe faute de vivres et de munitions. Les alliés continuent leur marche vers Mons et se retrouvent face à face avec les Français. Les chiffres sont éloquents : 120 000 hommes et 100 canons côté allié, 100 000 hommes et 80 canons côté français. Villars blessé, c'est Boufflers qui commande la retraite vers Bavay, après huit heures de combat.

Qui a gagné cette bataille de Malplaquet ? les alliés qui ont perdu 24 000 hommes ou les Français qui n'y ont laissé "que" 12 000 hommes ?

18-24 juillet 1712, Denain

Le temps est aux négociations. Elles ont commencé dès 1710 mais elles achoppent sur des conditions inacceptables. Et donc, la guerre continue. Les alliés enlèvent Douai puis Béthune, Aire et Saint-Venant. Villars s'interpose et défend Arras et Cambrai.

En 1712 les négociations reprennent à Utrecht ce qui n'empêche pas le prince Eugène de s'approcher du Quesnoy et de Landrecies : ouvrir une brèche vers Le Cateau, c'est prendre le départ vers l'Oise et Paris. La menace est claire. Le Quesnoy tombe. Landrecies est assiégé.

Du 19 au 23 juillet, Villars rassemble ses troupes devant Le Cateau… Va-t-il se battre pour Landrecies ? Dans la nuit du 23 au 24 juillet, à marche forcée et dans le plus grand secret, toute l'armée remonte vers Denain. L'engagement commence à 8 heures du matin, la route entre Marchiennes et Denain est coupée. À 10 heures, le prince Eugène ne peut que constater sa défaite.

Le succès de Villars à Denain est plus qu'une victoire : il a sauvé les chemins de Paris, il s'est ensuite emparé de Marchiennes où 3 000 hommes et 1 500 marins accompagnaient 150 bateaux emplis de vivres et de munitions, toutes les réserves des alliés ! Dans la foulée la France entre à Saint-Amand, Mortagne, Landrecies, Douai, Le Quesnoy et Bouchain. En deux mois, Villars reprend ce que les alliés nous avaient enlevé en deux ans de guerres.

Le 11 avril 1713, sept traités sont signés entre la France, l'Angleterre, la Hollande, la Savoie et la Prusse. Louis XIV s'engageait à démolir les fortifications de Dunkerque, mais recouvrait Lille, Aire, Béthune et Saint-Venant, par contre il perdait Menin, Ypres, Furnes et Tournai.

"1713 Heureuse année et mille fois heureuse qui nous donne la paix. Depuis l'an 1700 que nous gémissons sous le poids d'une guerre la plus désolante qui s'est vue depuis plusieurs siècles" (*Journal d'un curé de campagne au XVIIe siècle*, H. Platelle).

1720

Découverte du charbon à Fresnes

La nouvelle frontière une fois signée à Utrecht nous séparait de l'approvisionnement en charbon venant de la région de Mons et Charleroi, à moins de le payer un prix exorbitant. Que faire ? Le pouvoir royal encouragea financièrement les recherches dans la région de Condé, Fresnes et Valenciennes. Plusieurs puits furent creusés, mais toutes les recherches restèrent vaines.

Miracle à Fresnes le 3 février 1720, à la fosse Colard, à environ 100 m de profondeur, on découvrit une veine de charbon d'à peine 33 cm d'épaisseur. C'était maigre. Mais c'était la certitude que le charbon était là. Quelques semaines plus tard, les eaux envahissent le puits qui s'écroule. Faut-il abandonner ?

Les travaux reprennent le 26 août 1733 : le puits de 9 m de diamètre est superbe, mais l'eau est à 12 m. On amène des pompes, et les chevaux travaillent jour et nuit. On creuse. Le travail est de plus en plus pénible, un cheval meurt, les eaux remontent… À la surface de l'eau qui bouillonne, des poussières de charbon !

Devant l'évidence, on creuse partout : Vieux-Condé, Aubry, Estreux, Bruay, Crespin, Valenciennes, Anzin… Le 24 juin 1734, le charbon est là, à portée de pics et de pelles. Dix mois plus tard, à 75 m de profondeur, une superbe veine est découverte : la Grande Droiteuse, puis une seconde veine qui sera baptisée Maugrétout : malgré tout, le travail avait abouti. La grande épopée de la houille pouvait commencer.

L'histoire de la région se confondra pendant deux siècles avec celle du charbon : la Compagnie des mines d'Anzin est fondée en 1734. La première machine à vapeur fonctionne à Fresnes en 1810. Les premières lignes de chemins de fer à vapeur sont en place à Denain en 1835. La découverte du gisement du Pas-de-Calais à Escarpelle date de 1847. La terrible catastrophe de Courrières ébranle le pays minier en 1906. Les puits de mines sont noyés par les Allemands en 1918. L'année 1930 sera l'année de tous les records : 35 millions de tonnes de charbon, 182 000 mineurs. Quelques années encore, et ce sera la nationalisation des Charbonnages et la Bataille du charbon pour redresser l'économie française au lendemain de la guerre...

1784

À la conquête de l'espace

Rarement, une invention aura autant passionné le grand public et les savants du monde entier que l'invention du ballon. Pour preuve, le premier ballon de papier des frères Montgolfier datait de juin 1783 et déjà en 1784 on annonçait des records d'altitude, de durée et de distance. On rêvait de voyage de Paris à Londres, par-dessus la Manche et les mers ! En attendant, le ballon n'allait que là où le poussait le vent. On mettait au point, dans le plus grand secret, des rames et des hélices et même un gouvernail qui permettraient d'aller où l'on voudrait aller... et nulle part ailleurs.

Le 19 septembre 1784 à midi, devant une foule de Parisiens ébahis s'élève le "dirigeable" des frères Robert. Ils ont annoncé, en quittant les Tuileries, qu'ils mettraient cap au nord et vogueraient droit vers l'Angleterre. À 450 m d'altitude, ils prennent les rames et se mettent à ramer ! Mais elles cassent. Qu'à cela ne tienne, ils continuent : à l'horizon, voilà Pontoise, la cathédrale de Beauvais, Montdidier et bientôt Albert... un berger affolé leur crie qu'ils prennent la direction de

Lille… Voilà, au loin, Arras et ses remparts et Béthune plus proche… Le soir tombe, la nuit approche, les frères Robert décident de descendre au milieu du parc du château du prince de Ghistelles, proche de Beuvry. Après six heures de navigation, le premier vol en dirigeable à oxygène se termine au milieu d'une fête qui durera trois jours ! Désormais, tous les rêves de conquête de l'espace sont permis !

En 1784, une cinquantaine d'aéronautes tenaient déjà la vedette : vol inaugural… vol de démonstration… premier vol… les grandes villes de l'Europe s'arrachaient les héros du moment. Les frères Montgolfier, Pilâtre de Rozier, Blanchard… Qui, le premier, oserait affronter la mer en traversant la Manche ? Fallait-il partir de Calais vers Douvres ou partir de Douvres vers la France ? Le 31 décembre, Blanchard est à Douvres, il étudie les vents et attend. Jeffries, un médecin anglais, le supplie de l'emmener. Ils attendront les vents favorables jusqu'au 7 janvier. À 2 heures du matin, la tempête cesse ; à 5 heures, on commence à gonfler le ballon ; à 10 heures : "Lâchez tout !" Côté anglais, c'est le délire. À bord de la nacelle, c'est le drame, le ballon perd de l'altitude, il faut tout jeter par-dessus bord, tout. Et, dans l'après-midi, juste avant 4 heures, le ballon se pose dans la forêt de Guines, près d'Ardres… tout près du camp du Drap d'or !

Après Blanchard, la grande vedette, c'est Pilâtre de Rozier. Au mois de juin 1795, le voilà à Boulogne-sur-Mer avec la ferme volonté d'être le premier à traverser la Manche de la France vers l'Angleterre. Le ballon a été baptisé *Tour de Calais*, il est gonflé à l'hydrogène mais il fuit comme une passoire. On répare. On gonfle. On lâche quelques ballons pilotes... On s'impatiente... 7 h 05 du matin, l'aéromontgolfière s'élève lentement, emportant Pilâtre de Rozier et son compagnon de voyage Pierre-Ange Romand. Les vents poussent au large mais en altitude, un fort vent contraire ramène à la côte et, soudain, c'est la chute, brutale, imparable. Les corps des deux victimes furent inhumés le soir même au cimetière de Wimille.

C'était le 15 juin 1785. La conquête de l'espace venait de prendre ses premiers héros.

1786

Parmentier développe la culture de la pomme de terre

Né à Montdidier au mois d'août 1737, Antoine-Augustin Parmentier est un garçon costaud, curieux et calme. À l'âge de 13 ans, il a déjà étudié la grammaire et le latin et entre comme apprenti pharmacien chez Frison à Montdidier. À 18 ans, il est à Paris chez Simonet près du Palais Royal. Il entend dire que le service du Roi est à la recherche de jeunes apothicaires : il se présente et il est envoyé à l'Armée d'Allemagne comme pharmacien de 3e classe. Dévoué, soigneux, débrouillard... bonne réputation. Fait prisonnier par les Prussiens, il est emmené à Francfort... Il croupira dans un cachot avec, pour seule nourriture, une bouillie de pommes de terre. Il mange. Il survit. Il obtient l'autorisation de travailler chez… un apothicaire, et c'est là qu'il apprend que loin d'être un aliment dangereux, la pomme de terre peut être une excellente nourriture.

Lorsque la guerre de Sept Ans se termine, il revient à Paris. Il a 26 ans. Faute de travail, il reprend des études : botanique, chimie, physique, astronomie… passe des concours et, finalement, se voit nommé apothicaire aide-major aux Invalides.

Ses fonctions lui permettent de continuer ses travaux concernant "les plantes pouvant le mieux suppléer aux céréales dans les temps de disette". Il faut rappeler que lorsque le blé manquait soit à cause des inondations ou de la guerre ou de la grêle, la famine s'installait pour longtemps parce rien d'autre ne le remplaçait.

Introduite en Hollande, en Espagne, en Italie et en Allemagne au xvie siècle, la pomme de terre, en France, n'était que nourriture des gueux et des porcs, d'ailleurs ne portait-elle pas les germes de la lèpre ? Comment vaincre ce mépris et ces peurs ? Le coup de génie de Parmentier sera de toucher la cour et les savants : il invitera à sa table Lavoisier et Franklin, leur fera goûter son pain et ses pâtisseries de pommes de terre. Le roi Louis XVI lui-même, intéressé par ses travaux, l'encouragera : "La France vous remerciera un jour d'avoir trouvé le pain des pauvres."

Échappé de justesse à l'échafaud pendant la Révolution, il écrira plus de cent cinquante livres et rapports : *La Fertilité des terres*, *Le Parfait boulanger*, *La Châtaigne*, *Les Champignons*, *La Bière de maïs*, *La Tourbe et ses cendres*, *Du bon usage de l'eau*, *La Betterave et ses usages*, *L'Assèchement des marais*, *Le Sirop de raisin*... Il meurt, la plume à la main, le 17 septembre 1813. Son dernier grand chagrin était de voir disparaître sur les champs de bataille les meilleurs de ceux qu'il avait patiemment formés.

1788

L'orage du 13 juillet 1788

Aux Archives de Paris, on conserve une étonnante carte Cassini sur laquelle ont été colorées les zones ravagées par l'orage du 13 juillet 1788. En rouge, deux sillons parallèles traversent la France, sud-ouest, nord-est. En quelques heures, de la Charente aux Pays-Bas, ce fut un déluge de grêle, de pluie et de vent qui dévasta villes et villages, et surtout qui anéantit tout espoir de récoltes de blé et de lin. Dès l'automne la disette s'installe et, en plus, manque le lin pour les fileuses et les tisseurs à domicile. Des monts d'Artois à la vallée de la Sambre c'est la misère et la faim.

Pire encore, un terrible hiver aggrave la situation. Dès le mois de novembre, le thermomètre descend dramatiquement : on a relevé -25° le 21 novembre. Le froid persistera jusqu'à la fin janvier 1789, bloquant les fleuves et les rivières, les bélandres craquent de partout sur la Lys et la Deule, l'Escaut et la Sambre. Fin janvier la pluie provoque un dégel brutal, inondant les terres pour plusieurs semaines. Pour finir, en mai, des gelées tardives achèvent de brûler les derniers bourgeons et les nouvelles semailles.

Les rapports du temps disent que l'on s'est battu un peu partout pour le grain et le pain. Des émeutes ont éclaté à Saint-Omer, des scènes de pillage à Bourbourg…

À Paris, en ce mois d'août 1788, Malherbes écrit son mémoire qu'il remettra bientôt au roi *Sur la situation présente des affaires* :

> *"Je vois se former un orage que la toute-puissance royale ne pourra calmer, et des fautes de négligence et de lenteur, qui, dans d'autres circonstances, ne seraient regardées que comme des fautes légères, peuvent être aujourd'hui des fautes irréparables qui répandront l'amertume sur toute la vie du Roi et précipiteront son royaume dans des troubles dont nul ne peut prévoir la fin."*

> *"Le temps n'est plus où l'on persuadait aux peuples que l'ouvrage de leurs législateurs était celui des dieux, et devait être immuable comme eux…"*

À Paris, bientôt, on chantera :

> *"La boulangère a des écus*
> *Qui ne lui coûtent guère*
> *Voici le boulanger, la boulangère*
> *Et le petit mitron."*

1792

Lille, Hondschoote, Wattignies, Tourcoing

Moins d'un siècle après tous les traités de paix et toutes les signatures, les mêmes alliés retrouveront les mêmes chemins de la guerre et les mêmes champs de bataille. Des Ardennes à la mer du Nord, les armées s'affronteront laissant villes et campagnes une fois encore en ruine.

En cette année 1792, l'Autriche avait décidé d'ouvrir la route de Paris et d'y rétablir la royauté après avoir bouté le gouvernement de la République. Face aux menaces autrichiennes, le major d'Haspre, gouverneur de Lille, répondit : "Nous venons de renouveler notre serment d'être fidèles à la Nation, de maintenir la Liberté et l'Égalité ou de mourir à notre poste. Nous ne sommes pas des parjures." Boulets rouges incendiaires, bombes de mortiers qui crèvent les toitures, 13 000 projectiles mettront la ville à feu... Tenir. De Paris, le ministre Roland fit parvenir un message : "Ayez la noble fermeté de vous ensevelir sous les ruines de vos fortifications. Que vos ennemis connaissent ce généreux dévouement et vous les ferez fuir." Lille n'ouvrira pas ses portes et le 8 octobre 1792 les Autrichiens s'enfuiront. "Lille a bien mérité de la Patrie."

1793 : au mois de juillet, Anglais et Autrichiens nous enlèvent Condé et Valenciennes, puis la bataille se déplace vers Lille et Linselles et, d'un coup, c'est Dunkerque qui est menacée. La frontière nord est ouverte. Côté français, 30 000 hommes – 40 000 chez les coalisés. Les affrontements sont durs autour de Dunkerque et Rosendaël et jusqu'à l'Yser où l'on se bat à Herzeele, Houtkerque et Wormhout. Tout va se jouer à Hondschoote où se rejoignent les routes de Bergues, Oost-Cappel et Killem. La bataille commence le 6 septembre et restera indécise jusqu'au soir. Le 7 au matin, les combats reprennent plus furieusement que jamais autour du moulin Spinnewyn et de la maison du meunier. C'est la 32e division des Gendarmes de Paris, arrivée à marche forcée, qui enlèvera la victoire. Le lendemain voit la déroute des coalisés et la levée du siège de Dunkerque.

1793 : en octobre, c'est Maubeuge qui est assiégée par les Autrichiens. Jourdan prend le commandement, et Carnot, en personne, apporte le ravitaillement, les souliers, les habits et les baïonnettes. Les soldats sont les volontaires de la levée en masse du 13 août. Les armées de la République se rassemblent autour de Maubeuge : au chant de *la Marseillaise*, 35 000 hommes montent à l'assaut de Dourlers, Monceau, Leval, Éclaibes, Beaufort, Les Trois-Pavés. Le lendemain, l'assaut reprend vers Wattignies et les Autrichiens lâchent Maubeuge. Wattignies-la-Victoire, la bien nommée !

1794 : la bataille de Tourcoing. Début mai, Anglais, Autrichiens et Prussiens descendent sur Lille par Menin, Mouscron et Tournai. Si Lille tombait, c'était la route de Paris grande ouverte et tout l'acquis de la Révolution jeté à terre. La stratégie était claire : une colonne passe la Lys à Wervicq et vient s'installer à Linselles, une autre approche de Mouscron, la troisième enlève Wattrelos et prend Tourcoing, enfin la dernière colonne arrive sur Roubaix par Templeuve : l'encerclement de Lille était mis en place. Souham et Moreau reprennent Tourcoing et Wattrelos, Bonnaud tombe sur les arrières autrichiens entre Wasquehal et Hem, sur quoi les Anglais se retirent, les Autrichiens se replient sur Leers, Néchin et Tournai. Moreau poursuit les alliés vers le nord. Bilan : 3 000 prisonniers et 60 canons.

Le 18 mai 1794, à Tourcoing, c'est la victoire de l'An II qui annonce Fleurus en juin, la prise d'Anvers en juillet et le retour à la France du Quesnoy et de Valenciennes en août.

1794

De Sainte-Catherine à Ménilmontant

La planète entière est prise dans un immense filet de communications en tout genre : téléphones, câbles optiques, radio, télévision, fax, ordinateurs et internet. L'ancêtre de tous ces "communicateurs" des temps modernes, c'est Claude Chappe.

L'idée de Claude Chappe était génialement simple : en haut d'une tour, il plaçait un châssis sur lequel étaient montés deux bras mobiles, avec les deux bras on composait une lettre de l'alphabet, sur l'observatoire le plus proche un observateur, jumelles en mains, lisait le message une lettre à la fois, ensuite il le transmettait à la tour suivante.

La première expérience officielle à laquelle Chappe avait invité le Comité de salut public eut lieu le 22 mars 1792 entre Paris et Ménilmontant, et voici le message : “Les habitants de cette belle contrée sont dignes de la liberté, par leur respect pour la Convention nationale et ses lois”. Le message arriva dix fois plus vite qu'un cheval au galop ! Les plus sceptiques furent convaincus. Puisque les armées étaient au nord, face à la coalition, c'est vers le nord que fut lancée la première ligne, si bien que sur les 230 km entre Paris et Lille, vingt-deux postes intermédiaires furent construits. Premier message : “Nous allons établir le télégraphe sur tout le territoire, c'est la meilleure réponse à ceux qui pensent que la France est trop étendue pour former une République !”

Le 16 juillet 1794, le télégraphe est installé au sommet de la tour-clocher de Sainte-Catherine : la ligne Paris-Lille est prête. C'est ainsi que le 30 août 1794, le Comité de salut public apprit, en moins de deux heures, la victoire de Condé-sur-l'Escaut

Bientôt viendrait la ligne Lille-Dunkerque, plus tard, sous Napoléon Ier, Lille-Bruxelles, puis Lille-Boulogne, enfin Lille-Bruxelles-Anvers-Amsterdam. En 1850, il y aurait 534 stations réparties sur 5 000 km de lignes !

1799

De Dunkerque à Barcelone : la Méridienne

Une incroyable aventure scientifique s'est déroulée tout au long d'une ligne imaginaire que l'on appelle : la Méridienne. Lorsque la France révolutionnaire inventa la métrologie, elle proposa à tous les peuples une mesure universelle, "le mètre, unité générale de toutes les mesures". Quelle dimension donner à ce mètre ? Le mètre-étalon sera défini à partir de la mesure de la méridienne de France, l'arc de méridien Dunkerque-Perpignan-Barcelone passant par Paris.

Deux astronomes ont conduit cette aventure scientifique : Pierre Méchain né à Laon et Jean-Baptiste Delambre né à Amiens. La grande aventure commença le 24 juin 1792 : Delambre assurant les relevés de triangulation entre Dunkerque et Paris, Méchain prit en charge Paris-Barcelone : il y mourra d'épuisement. Sept années plus tard, le 22 juin 1799, le mètre-étalon fut institué et, en décembre, la loi donna valeur légale au kilogramme.

Deux siècles plus tard, une équipe d'architectes et d'urbanistes a imaginé de saluer le millénaire en matérialisant au sol cette méridienne virtuelle. Des arbres, des semis de coquelicots, des rivières de lin ou de bleuets, accompagneront les marcheurs qui suivront le chemin de grande randonnée de Dunkerque… à Barcelone !

Prenant son départ à Dunkerque, la Méridienne verte traverse 42 communes dans le Nord-Pas-de-Calais, 100 communes en Picardie avant de continuer vers Paris, Bourges, Carcassonne et… Barcelone.

La Méridienne verte sera donc un véritable monument végétal. Superbes découvertes en perspective pour les marcheurs du XXIe siècle !

XIXe siècle

Les années de la Révolution française		177
1802	De la paix d'Amiens au camp de Boulogne	181
1805	La saga du sucre "indigène"	184
1825	Frédéric Kuhlmann et les débuts de l'industrie chimique	187
1845	L'essor de l'industrie textile	189
1845	La Compagnie Fives-Lille	192
1846	Naissance des Chemins de Fer du Nord	194
1846	Boucher de Perthes, père de la préhistoire	196
1854	Pasteur, doyen de la faculté des sciences à Lille	198
1870	Faidherbe et l'armée du Nord	201
1872	Jules Verne à Amiens	203
1884	*Germinal*	205
1888	Le chant de l'*Internationale*	207
1891	Le premier mai sanglant de Fourmies	209
1899	Édouard Branly	211
1906	La catastrophe de Courrières	213
1909	Blériot traverse la Manche en avion	215

Les années de la Révolution française

La crise révolutionnaire qui a secoué les dernières années du XVIIIe siècle a bouleversé profondément l'histoire de nos pays du Nord. En quelques années et sous la pression du peuple, nos régions sont passées de l'organisation héritée du Moyen Âge, les paroisses, les baillages et les intendances des provinces de Flandre, Hainaut, Cambraisis, Boulonnais, Artois et Picardie, aux départements du Nord, Pas-de-Calais, Somme, Aisne et Oise. Remplaçant les trois ordres classiques qui régissaient le royaume, noblesse, clergé et bourgeoisie, se met en place une nouvelle société qui commencera par abolir les privilèges féodaux des uns et des autres, et proclamera des droits garantis pour des citoyens désormais libres et égaux devant la loi.

Aux États généraux à Versailles, le 5 mai 1789, les députés de toutes les provinces de France apportent leurs Cahiers de doléances. Partout, on retrouve les mêmes demandes : qu'il soit mis fin aux privilèges exorbitants hérités du régime seigneurial et qu'une juste répartition des charges de l'impôt entre tous les Français soit enfin adoptée. D'autres tendances reviennent qui sont dans l'air du temps : que le roi prenne exemple sur la monarchie anglaise où "le prince, tout-puissant pour faire le bien, a les mains liées pour faire le mal" (Voltaire). En outre, on réclamait la libre circulation des marchandises et que soient enfin supprimées ces barrières économiques à l'intérieur même du pays.

Le siège de Lille en 1792.

Ces événements majeurs survenaient, il faut le rappeler, dans une période d'extrême misère et pauvreté : les orages de l'été 1788 avaient durement touché les cultures, l'hiver avait été particulièrement froid et long, si bien que le pain et le travail manquaient. L'émeute grondait. À Amiens, les 14 et 15 juillet 1789, la foule prend d'assaut l'intendance et l'hôtel de ville et saccage les réserves des négociants en grain, si bien qu'il faut recréer une milice bourgeoise de 2 240 hommes. Dans les villages, le tocsin sonne à l'approche des bandes de pillards. Partout on refuse de payer les champarts, les terrages, les lods et les cens. On va jusqu'à brûler les titres seigneuriaux. À Valenciennes, Armentières, Dunkerque, Avesnes et Hazebrouck, les convois de blé et les bélandres sont attaqués. À Douai, la foule s'en prend à Nicolson, négociant en grain, et le pend. Lorsque viendra le temps des moissons, les propriétaires terriens demanderont la protection de l'armée ou des milices et c'est alors que la colère populaire explosera :

les abbayes de Maroilles, Flines, Marchiennes et Anchin en feront les frais ainsi que plusieurs châteaux.

Dans la nuit du 4 août 1789, dans l'enthousiasme général, les États généraux votèrent l'abandon de tous les privilèges et quelques jours plus tard adoptèrent la Déclaration des droits de l'homme et du citoyen. Peut-on dire pour autant que la Révolution est faite, les proclamations une fois votées, les moissons engrangées et les chasses d'automne ouvertes ?

L'année 1790 sera une année de reprise en main des pouvoirs par des hommes nouveaux issus de la bourgeoisie. Jusqu'où faut-il aller avec ces principes de liberté, de souveraineté du peuple et de défense des propriétés ? Comment faire passer dans les faits la devise du nouvel ordre : "Liberté, Propriété, Constitution" ? La Fête de la fédération, plus que la prise de la Bastille, a fondé l'organisation du pays et lui a donné un centralisme dont on ne s'est plus departi depuis. À la révolution populaire succède un gouvernement révolutionnaire accompagné de tous ses excès, la Terreur, la loi des Suspects, les comités de surveillance, les représentants en mission, tel le trop célèbre Joseph le Bon, nommé curé de Neuville-Vitasse, chargé par la Convention de faire appliquer la loi révolutionnaire dans les départements du Nord-Pas-de-Calais ; il s'y emploiera avec un zèle effrayant : 28 jeunes guillotinés à Pernes, 298 hommes et 93 femmes guillotinés à Arras, 1 134 hommes et 30 femmes guillotinés à Cambrai, la liste sanglante se continue à Saint-Omer, Aire, Boulogne et Calais. À Valenciennes, personne n'a oublié la Terreur rouge. Au lendemain de la Terreur, Joseph le Bon montera les marches de l'échafaud à Amiens, le 16 octobre 1795.

"La Révolution est un drame", écrit Georges Duby. Resteront à jamais dans les mémoires ce que les historiens appellent "les cendres de l'Histoire". Combien d'hommes de bonne volonté ont choisi l'exil plutôt que les aléas d'une justice incertaine, combien d'abbayes ont perdu dans les flammes leurs plus beaux trésors d'art, combien de manuscrits et d'incunables à jamais disparus. Suivra la vente des Biens nationaux : hôtels, cloîtres, châteaux voués à la destruction. Du terrorisme, il n'y a qu'un pas vers le vandalisme (mot créé par l'abbé Grégoire dans son rapport à la Convention). Les plus beaux parchemins de l'abbaye Saint-Bertin à Saint-Omer ne sont-ils pas devenus l'emballage idéal pour préparer les cartouches des armées de la République ? "La Révolution n'a pas besoin de savants"... Condorcet lui-même en arriva à se suicider pour éviter l'échafaud.

Face à l'Europe des rois, le Nord-Pas-de-Calais-Picardie a été le rempart de la Révolution française. Les armées de la République ont défendu pied à pied la Patrie en danger. Chaque victoire a été chèrement payée. La résistance de Lille au siège des Autrichiens et les victoires de Hondschoote, de Wattignies et de Tourcoing ont sauvé la France d'une invasion certaine.

1802-1805

De la paix d'Amiens au camp de Boulogne

C'est à l'hôtel de ville d'Amiens, le 25 mars 1802, qu'est signée la paix d'Amiens entre la France, l'Espagne et la Hollande d'une part, et l'Angleterre d'autre part. Bonaparte s'engageait à évacuer les ports napolitains tandis que l'Angleterre quitterait Malte. En fait, l'Angleterre cherchait, par tous les moyens, à ouvrir le marché français à ses exportations. Ni Bonaparte ni les industriels français ne voyaient cette éventualité d'un bon œil. Signe d'apaisement toutefois, Bonaparte fait son apparition non plus en tenue militaire mais en costume civil de Premier Consul qu'il n'avait plus porté depuis dix ans !

Une année plus tard, le 16 mai 1803, l'Angleterre fait saisir 1 200 bateaux français et hollandais et le 20, c'est la rupture : les Anglais n'acceptent pas d'évacuer Malte et, surtout, se lassent de ne pas voir s'ouvrir le marché économique français. La France, d'autre part, étend son influence vers la Hollande, la Suisse et l'Allemagne. Voilà donc à nouveau la guerre après une seule année de paix.

Bonaparte prend deux décisions majeures : interdiction d'importer quoi que ce soit venant d'Angleterre ou de ses colonies et d'autre part, mise en place à Boulogne-sur-Mer d'une "grande armée d'Angleterre". En juillet, il inspecte la côte de Boulogne à Ostende et pousse jusqu'à Anvers, Bruxelles et Liège. Partout il est accueilli "dans un délire d'admiration".

Le 18 mai 1804, Bonaparte est proclamé empereur des Français sous le nom de Napoléon Ier et deux mois plus tard, le voilà de retour à Boulogne. Cette fois-ci la ville lui fait un triomphe. Monté à bord d'un canot, il passe la flotte en revue pendant trois heures. Les jours suivants, il visite les chantiers à Wimereux, Ambleteuse, Étaples et Montreuil, Calais, Gravelines et Dunkerque. Les chantiers de construction navale sont partout, jusqu'à Paris et les rives de la Seine. Napoléon sait qu'il a besoin de 2 000 bateaux et "si nous sommes maîtres douze heures de la traversée, l'Angleterre a vécu".

La plus extraordinaire prise d'armes jamais vue a lieu à Boulogne le 16 août 1804, dans la plaine de Terlincthun : 120 000 hommes sont réunis face à la mer, face à l'Angleterre que l'on voit au loin. Napoléon arrive sur son cheval gris entouré de son état-major... salves de canons, musiques des 40 régiments, et les cris : "Vive l'empereur ! Vive l'empereur ! Vive l'empereur !..." Ce jour-là, ils seront 2 000 à recevoir les premières croix de la Légion d'honneur.

Alors, ce débarquement en Angleterre ? D'abord le sacre à Notre-Dame de Paris le 2 décembre 1804 et, trois jours plus tard au Champ de Mars, la remise des aigles aux régiments... "L'armée d'Angleterre" attend, piétine, murmure. Napoléon compte sur Villeneuve et ses bateaux mais, le 27 juillet 1805, Villeneuve s'est réfugié à Vigo d'abord, puis à Cadix avec ses vingt-neuf vaisseaux (le 21 octobre 1805, la flotte française est anéantie à Trafalgar). À Boulogne 140 000 hommes attendent.

Pendant ce temps, l'Autriche et la Russie signent un accord avec l'Angleterre : décidément tout recommence. Puisqu'il est sans nouvelle de Villeneuve et de sa flotte, le 13 août 1805, Napoléon dicte son plan de campagne d'Ulm et Austerlitz : sept corps d'armée y prendront part. Encore fallait-il prévoir le ravitaillement des hommes et des chevaux, le remplacement des chaussures usées, etc., etc.

Le 26 août au matin, les maréchaux et généraux lisent à leurs troupes l'ordre du jour : "Braves soldats du camp de Boulogne ! Vous n'irez point en Angleterre. L'or des Anglais a séduit l'empereur d'Autriche qui vient de déclarer la guerre à la France. Courons vaincre des ennemis que nous avons déjà vaincus !" Le 26 août 1805, 120 000 hommes quittent Boulogne, prennent la route de Strasbourg, passent le Rhin sur le pont de Kehl, continuent vers Wertingem, le pont d'Elchingen sur le Danube, Ulm, Vienne et le 2 décembre, c'est la bataille des trois empereurs à Austerlitz.

"Soldats, je suis content de vous… Il vous suffira de dire : "J'étais à la bataille d'Austerlitz" pour que l'on vous réponde : "Voilà un brave !"

1805

La saga du sucre "indigène"

Puisque Napoléon ne pouvait vaincre sur mer faute de marine, et puisque l'Angleterre ne pouvait espérer vaincre sur terre faute de soldats, cette guerre immobile aboutit à une double interdiction : le Conseil britannique déclarait les côtes françaises en état de blocus ; en réponse, l'empereur décréta le Blocus continental : "Tout commerce et toute correspondance avec les Îles britanniques sont interdits." Les conséquences de ce double blocus sur l'économie française sont capitales : pour remplacer les teintures coloniales, il a fallu relancer les cultures tinctoriales, la garance, le safran et le pastel ; pour remplacer le café, ce sera la chicorée, et pour remplacer le sucre de canne venant de l'île de France et de l'île de Bourbon, il n'y a rien.

Tous les savants se mettent au travail. On se souvient de quelques expériences faites au siècle précédent, mais surtout appel est lancé à tous les savants : Achard, Chaptal, Parmentier, Fourcroy, Vauquelin, Delessert… Ils cherchent et ils trouvent. Le jus de la betterave donnera du sucre. Encore faut-il cultiver la betterave à très grande échelle. Napoléon force l'allure : sur son ordre, 32 000 ha de terre sont réquisitionnés. Celles du Nord-Pas-de-Calais-Picardie seront les terres d'élection pour la culture de la betterave : la vigne est arrachée autour de Corbie, Laon, Soissons, Craonne, Coucy et Beaurieux. Le calendrier de la vie à la campagne s'en trouve bouleversé et de nouveaux métiers apparaissent : en février, mars et avril, déplantage des semis de betteraves à graines, ensilage et triage et, à l'aide d'un plantoir, repiquage ; fin avril, c'était le désherbage et le démariage à la binette ; en mai, on s'occupait spécialement des betteraves sucrières ; en juin, on sarclait ; avec l'été venaient les moissons et aussitôt on revenait aux betteraves pour fauciller les plantes grenées ; en octobre enfin, c'était l'arrachage des betteraves sucrières. Suivaient les transports sur des chemins de campagne souvent gorgés d'eau jusqu'au canal le plus proche ou directement à la sucrerie.

Il faudra attendre l'année 1810 pour voir les premiers 100 kilos de sucre brut, tellement extraordinaires qu'ils seront exposés à l'hôtel de ville de Lille ! À l'origine de cet exploit, Louis Crépel-Dellisse a tout juste 21 ans. Il tenait une épicerie à Lille, la pénurie et la cherté du sucre de canne le poussa à essayer la transformation du jus de betterave dans une petite fabrique sur la place aux Bleuets. C'est le succès, mais il faut produire plus, plus vite et moins cher : Crépel et son beau-frère Dellisse achètent des terrains pour y cultiver des betteraves, et une petite usine à Arras, dans l'ancien refuge de l'abbaye de Hénin-Liétard. Commence alors l'ère de l'industrie du sucre.

La catastrophe arrive en 1815 avec la chute de l'Empire et la levée du blocus. Le sucre des colonies revient dans nos ports et encombre les quais. Les prix tombent de 75 %. Une véritable guerre du sucre commence entre les planteurs de canne et les betteraviers :

faut-il favoriser le sucre de canne comme l'exigent les négociants de Bordeaux, Nantes, Le Havre et Dunkerque, et donc interdire la production du sucre de betterave comme le proposait Lamartine en 1843 ? Un texte de loi interdisant le sucre indigène fut repoussé de justesse à la Chambre des députés. Dès lors, sucre de canne et sucre de betterave resteront en concurrence.

En 1821, Crépel-Delisse est devenu un des plus gros producteurs de sucre en Europe. En 1833, il achète la sucrerie de Francières, entre Senlis et Roye et l'agrandira pour y ajouter une distillerie. Son domaine s'étendra encore puisqu'en 1849, il sera à la tête de dix sucreries.

L'implantation de la betterave sucrière en France fut spectaculaire : plus de 500 sucreries étaient implantées et produisaient 6 000 tonnes en 1830, 52 000 tonnes en 1848, 75 000 tonnes en 1850 et 400 000 tonnes en 1875. Aujourd'hui, c'est la Picardie qui est en tête de la production de sucre avec l'Aisne : 76 143 ha et 6 sucreries, la Marne : 55 583 ha et 4 sucreries, la Somme : 46 700 ha et 6 sucreries, le Pas-de-Calais : 45 945 ha et 6 sucreries, l'Oise avec 44 794 ha et 4 sucreries, la Seine-et-Marne avec 31 910 ha et 4 sucreries, enfin le Nord avec 23 266 ha et une sucrerie (chiffres 1996).

En 1854, la Chambre de Commerce de Lille, rendait un hommage remarquable à Napoléon Ier en inaugurant dans la cour de la Vieille Bourse une statue de l'empereur, coulée dans le bronze des canons conquis à Austerlitz, en empereur romain, le front ceint des lauriers de la victoire, la main droite brandissant le sceptre, symbole du pouvoir. C'était reconnaître le formidable essor donné à l'économie régionale, son industrie textile et son industrie sucrière notamment. Cette statue a finalement trouvé sa place au musée des Beaux-Arts.

1825

Frédéric Kuhlmann et les débuts de l'industrie chimique

Il était né à Colmar en 1803. Orphelin à huit ans, c'est son oncle qui le pousse vers les sciences et c'est à Strasbourg qu'il entre à l'université. À 20 ans le voilà à Paris, dans le laboratoire du célèbre chimiste Vauquelin : il y prépare son premier rapport sur *L'Analyse chimique de la racine de garance*. Pendant ce temps à Lille, plusieurs industriels souhaitent en connaître davantage sur la chimie et ses applications dans l'industrie : Charles Delezenne découvre Kuhlmann à Paris et lui propose de venir enseigner à Lille. Il a donc 21 ans lorsqu'il commence ses cours devant un auditoire d'industriels et de jeunes scientifiques. Plus d'expériences et moins de théorie, plus de faits et moins de discours : ses cours se poursuivront avec un égal succès jusqu'en 1854 où l'on finira par s'apercevoir en haut lieu qu'une université des sciences est nécessaire à Lille. C'est Pasteur qui en sera le premier doyen.

Très tôt, le jeune chimiste pose une question apparemment simple : pourquoi acheter cher les produits chimiques que l'on pourrait produire sur place ?

Réponse : quelques amis comprennent, se réunissent, avancent l'argent, une société est née au capital de 200 000 F et, le 15 mai 1825, Frédéric Kuhlmann inaugure une usine de production d'acide sulfurique. Il a 22 ans. Deux jours plus tard, les premières gouttes d'acide sulfurique apparaissent. C'est un succès. Suivront la fabrication du sulfate de soude, de l'acide chlorhydrique, de l'acide nitrique et du nitrate de soude. Plus tard, il fabriquera du vitriol à Amiens, ouvrira une autre usine à La Madeleine et, enfin, à Saint-André.

Plus qu'un chef d'entreprise, Frédéric Kuhlmann fut un animateur dans l'action industrielle, un découvreur d'hommes, un conseiller écouté des plus hautes instances économiques quand il s'agissait de prendre les décisions les plus importantes concernant le sucre, le lin, les transports, les lois sur le travail et l'hygiène, jusqu'aux brevets d'invention. Président de la Chambre de Commerce pendant 24 ans, membre du Conseil supérieur du commerce, directeur de l'hôtel des Monnaies de Lille, membre du Conseil général, président de la Société d'encouragement aux lettres, arts, sciences et agriculture, fondateur de la Société industrielle du Nord, il n'est pas une réalisation scientifique et industrielle régionale qui, pendant un demi-siècle, ne soit passée par son conseil et son aide.

Pour beaucoup, il a été l'exemple même du grand capitaine d'industrie. Il a sans aucun doute pressenti la place prépondérante que prendrait le Nord-Pas-de-Calais-Picardie dans l'économie du XXe siècle.

1845

L'essor de l'industrie textile

L'essor fulgurant de l'industrie textile dans nos villes de la région Nord au XIXe s'appuie sur une longue tradition artisanale : des filets de laine et de lin, des toiles et toilettes, des batistes et linons, des dentelles communes et de la serge, sans oublier les draps connus sur toutes les routes du commerce. Tourcoing, Arras, Béthune, Amiens, Valenciennes envoyaient leurs ballots d'étoffes vers Rouen, Paris, Reims et Caen, vers les villes du nord de la Livonie, jusqu'en Russie, ou même vers Venise et Constantinople.

La récession due à la Révolution française ne prendra fin qu'avec la paix d'Amiens et dès la reprise se posera un autre problème, celui de la main-d'œuvre, puisque les nouvelles activités attachées à la culture betteravière amèneront de plus en plus de tisserands à abandonner le travail à domicile pour les travaux des champs. D'autre part, les archives nous apprennent que bien avant 1815, Lille, Roubaix et Tourcoing, jusqu'à Douai faisaient appel à plus de 2 000 tisserands situés au-delà de la frontière : sur une brouette, ils apportaient leur travail venant de Mouscron, Luingne, Herseaux, Estaimpuis, Néchin… La loi du 28 avril 1816 oppose une barrière douanière draconienne à ces échanges. Sans attendre, Agathon Mullier propose d'établir des ateliers à La Marlière, proche de la frontière, mais les services des douanes interviennent à nouveau en interdisant l'ouverture de ces nouveaux ateliers à moins de 3 km de la frontière !

"Le grand centre lainier et cotonnier qui s'organise dans le nord de la France n'aurait jamais été créé si la Belgique était restée unie à la France ou si les produits avaient pu continuer à y être exportés."

(*Gand sous le Régime hollandais*, J.-E. Neve, 1935.)

À 80 km de l'agglomération de Lille-Roubaix-Tourcoing, depuis la fin du Moyen Âge, Gand jouit d'une sorte de monopole de l'industrie textile. Les conflits sociaux qui ont soulevé les colères du peuple contre les pouvoirs en place répondaient tous à des problèmes touchant de près ou de loin le travail de la laine ou du coton et leur approvisionnement. Dès 1810, Gand comptait 115 000 broches et 500 000 en 1850, alors qu'à Lille on en était à 300 000 broches et à Roubaix 100 000. Les progrès techniques bousculent les habitudes : le nouveau métier à renvideur remplace peu à peu la "mule jenny" (*trekmolen* en flamand), l'arrivée des machines à vapeur qui entraînent à travers l'usine tout un équipement de transmissions mécaniques. Le libre-échange et la concurrence anglaise poussent au progrès, et le progrès se traduira chez nous par des usines de plus en plus grandes, jusqu'à la "filature-monstre" de Motte-Bossu à Roubaix qui, en 1843, faisait tourner 40 000 broches ! Manque gravement la main-d'œuvre. La plus proche et la plus compétente se trouve en pays flamand, Gand et sa région. D'où ces ouvertures d'ateliers et d'usines tout au long de la frontière entre Armentières et Saint-Amand : Halluin, Linselles, Roncq, Bondues, Mouvaux, Wambrechies, Croix, Marcq, Lannoy, Wasquehal, Hem, Flers, Hellemmes, Forest, Ascq, Bouvines, Cysoing, Bourghelles, jusqu'au pays de Pévèle à Orchies, Landas, Beuvry, Auchy, Brillon, Rosult…

En Picardie comme en Artois et dans le Nord-Pas-de-Calais, ce seront quelques hommes d'exception qui comprendront avant tout le monde que le travail à domicile ne serait plus compatible avec l'économie en pleine évolution. Ces hommes, on les appellera bientôt des "capitaines d'industrie" et pourtant, ils sont issus du milieu paysan dans leur majorité : ils en conserveront la prudence et le courage d'entreprendre. Lorsque Guizot proclamera son "Enrichissez-vous !", ils sèmeront et auront la patience d'attendre la récolte, quelles que soient les tempêtes politiques, sociales ou financières.

Grâce à l'immigration flamande, la population de ces zones frontalières va plus que doubler en moins d'un siècle. Dans la Somme, en 1900, sur 120 000 actifs dans l'industrie, 55 200 travaillaient dans le textile, dans l'Aisne, sur 110 900, 43 000 dans le textile, dans l'Oise, sur 93 340, 21 400 dans le textile. Amiens, face à la concurrence allemande, sans abandonner ses tissus de laine, s'oriente vers l'industrie de la confection et Saint-Quentin, par contre, freinée par la crise du lin, se lance vers les tulles et les dentelles.

En quelques années tout va changer : les Décrême, Motte, Dubar-Ferrier, Toulemonde, Mimerel, Pollet, Thiriez, Le Blan, Masurel, Tiberghien, Prouvost… prendront des décisions qui vont bouleverser la société sur le plan social, économique et urbain. Les villages deviendront des villes, les villes des conurbations. Ouvertes et sans les barrières imposées par les remparts, les cités textiles, dévoreuses d'espace, prendront à travers champs une extension sans limite.

> *"Nos actes ne sont éphémères qu'en apparence. Leurs répercussions se prolongent parfois pendant plusieurs siècles. La vie du Présent tisse l'Avenir."*
>
> (*Hier et demain*, Gustave Le Bon, cité en préface du livre *La Redoute*, R. Laffont, 1985.)

1845

La compagnie de Fives-Lille

En janvier 1845, Derosne et Cail signent une commande de 7 locomotives destinées aux chemins de fer du Nord, livraison prévue en juillet. À la signature, ils n'ont ni la place ni les outils pour s'engager dans une telle entreprise. Cependant, ils trouvent rapidement un atelier à Chaillot, un autre à Grenelle et un troisième à Denain où ils installent la forge, la fonderie et la chaudronnerie. En juillet, avec le conseil de Stephenson, la commande était prête. Nouvelle commande en 1848, cette fois-ci, c'est une Crampton qui sera mise en chantier, ce "lévrier du rail" sera construit à plus de cent exemplaires et sera même exposé à l'Exposition universelle de Paris en 1889. La Crampton roulera sur toutes les grandes lignes : Paris-Nord, Paris-Strasbourg, Paris-Lyon, en Espagne, Suisse, Russie, Italie, Égypte. En 1861, la compagnie Fives-Lille s'associe avec Cail : ils produiront ensemble 708 locomotives, 800 ponts et viaducs, des charpentes métalliques pour l'Exposition universelle de 1867, et des chantiers ferroviaires en France, Italie, Espagne, Russie… Étonnant virage pendant la guerre de 1870 : en plus d'une section armement, l'entreprise fabrique 300 petits moulins mus par une force de 750 CV et grâce à ces moulins les Parisiens ont reçu la livraison quotidienne de 300 000 kg de pain.

Au lendemain de la guerre de 1870, J.-F. Cail mourut d'épuisement ; sa disparition fut un coup dur pour l'entreprise qui déclina jusqu'à la fin du siècle. Une réorganisation permit un redressement spectaculaire : charpentes pour les gares de chemin de fer (dont la gare d'Orsay), pont de 750 m sur le Danube à Cernavoda en Roumanie, pont de 621 m sur le Guadahortuna en Espagne, pont sur le Nil au Caire, sans compter les locomotives envoyées en Chine, en Égypte, à Bagdad, en Indochine, en Amérique du Sud, et les tramways pour la Chine, le Puy-de-Dôme, la Seine-et-Marne…

La guerre 1914-1918 apportera le désastre : les ateliers sont vidés de leur outillage, les bâtiments démontés ou détruits, les archives techniques et commerciales enlevées. En 1919, c'est le miracle : Fives-Lille reçoit une commande de 90 locomotives pour l'état Français dont 40 pour l'Alsace-Lorraine…

Aujourd'hui FCB est présente sur les grands chantiers du siècle : au tunnel sous la Manche, à l'aluminerie

Pechiney de Dunkerque, au métro de Lille, en Iran, en Afrique du Sud, en Turquie… Les rendez-vous sont pris pour le XXIe siècle !

1846

Naissance des Chemins de fer du Nord

S'il est vrai qu'une voie ferrée reliait Paris à Saint-Germain depuis 1837 et qu'une seconde voie ferrée joindra Paris à Versailles en 1839, on oublie souvent que Tourcoing a été reliée à Ostende via Mouscron, pour assurer une importation plus rapide des laines étrangères. La première gare de Tourcoing a été inaugurée le 14 novembre 1842. À l'époque, Tourcoing vivait une formidable expansion industrielle à prédominance textile.

Pendant ce temps, le baron de Rothschild laissait mûrir son projet le plus cher : réunir Paris à Lille, Roubaix et Tourcoing. Encore lui fallait-il passer l'obstacle politique : les partisans du tout privé et ceux du tout État ; les uns voulaient la prise en main des chemins de fer par l'État, les autres ne juraient que par l'industrie privée. Sous la Monarchie de Juillet, les seconds l'emportèrent et le baron de Rothschild lança la Compagnie des Chemins de fer du Nord.

Le tracé une fois retenu, de Paris-Nord à Chantilly, Creil, Clermont, Saint-Just-en-Chaussée, Longeau (Amiens ayant refusé, dans un premier temps, l'entrée du chemin de fer), Corbie, Albert, Achiet, Arras, Douai et

Lille, tout ira très vite ; 258 km à baliser, les terrains à négocier, les autorisations de passage à obtenir, creuser, aplanir, placer les traverses et les rails, construire les locomotives et les voitures, les gares et les ateliers, amener l'eau et le charbon tout au long du parcours, recruter et former un nouveau personnel aux nouvelles techniques… Le 14 juin 1846, tout le parcours est pavoisé.

La veille, le train spécial a quitté Paris, entraîné par deux locomotives rutilantes. Les ministres sont du voyage et les princes, et les célébrités de l'époque. Arrêt à Amiens. Soirée dansante à Arras. Au petit matin, le train inaugural prend le départ vers Douai… la foule ovationne les officiels, mais le train passe dans les sifflets et la vapeur. À Fives (puisque les militaires n'ont pas accepté d'ouvrir une brèche dans les remparts), c'est la fête, c'est le délire. Musiques militaires, cloches de toute la ville, notables et autorités civiles, militaires et religieuses sont alignés tout au long du quai. Le premier train officiel Paris-Lille vient de s'arrêter dans un grand bruit de ferraille. Discours, bénédiction du train par l'archevêque de Cambrai, concert sur l'Esplanade dirigé par un Berlioz déchaîné : au programme, *La Symphonie funèbre et triomphale* suivie par *Le Chant des chemins de fer* ! (Retour de Lille, Berlioz dira partout qu'elle est la ville la plus musicale de France !) Pour terminer, un fastueux banquet de 1 700 couverts préparé par 600 cuisiniers aidés de 100 marmitons !

L'inauguration de cette première voie ferrée allait ouvrir un formidable sillon de prospérité. Dans la campagne picarde parsemée de villages et de petites villes viendront s'établir les ateliers de construction métallurgique, les fonderies et les forges, les ateliers de chemin de fer et les chaudronneries. Le train assurera un essor étonnant à l'agriculture et des villes comme Creil et Albert connaîtront une croissance inattendue.

Restait à continuer, malgré la révolution de 1848. Louis-Napoléon Bonaparte redonna espoir : "Il vaut mieux investir 300 millions pour organiser le travail qu'en dépenser 120 pour construire de nouvelles prisons." La Compagnie des chemins de fer du Nord met les bouchées doubles : on inaugure en 1848 Paris-Amiens-Boulogne et en septembre Lille-Cassel-Hazebrouck-Dunkerque. Le port qui recevait 2 300 bateaux en 1848 en recevra 3 900 l'année suivante.

Les ports de Boulogne, Calais, Dunkerque, ouverts sur l'Atlantique, la Manche et la mer du Nord et reliés à l'arrière-pays et aux industries verront leurs échanges progresser d'une façon spectaculaire. 1848 fut une grande année pour le Nord-Pas-de-Calais-Picardie, un formidable pari sur le futur.

1846

Boucher de Perthes, père de la préhistoire

Boucher de Crèvecœur de Perthes (1788-1868) provoqua un véritable scandale scientifique lorsqu'il proposa de remettre en question la chronologie de l'occupation par l'homme de la vallée de la Somme. En effet, dans les années 1830, au cours des travaux de canalisation de la Somme, il y découvre d'étranges pierres taillées, des pierres admirablement polies, une hache en pierre polie conservée dans sa gaine en corne de cerf. Boucher de Perthes et son ami, le docteur Picard (mort en 1841), suivent les travaux au jour le jour et font découverte sur découverte : couteaux en silex, profusion d'éclats, comme si un atelier venait d'être abandonné. Il publie en 1847 deux volumes d'*Antiquités celtiques et antédiluviennes* qu'il présente à l'Académie des sciences à Paris où il est prié de bien vouloir laisser aux seuls scientifiques le pouvoir de "dire" la science.

Par contre, le président de la Royal Society, Hugh Falconer de Londres, vient à Abbeville pour examiner la collection de Boucher de Perthes (détruite en mai 1940). Falconer écrit le jour même à son collègue spécialiste des sols de la Tamise pour lui communiquer sa conviction du sérieux des découvertes. Ils reviennent un an plus tard, appelés en urgence par Boucher de Perthes car, cette fois-ci, un outil de silex a été retrouvé in situ près d'Amiens, dans le quartier de Saint-Acheul : la couche géologique est intacte, la datation est certaine : de ce jour en 1859 commence la stratigraphie. L'existence d'un homme fossile est officiellement reconnue en 1859 avec la présentation de deux mémoires, l'un devant l'Académie des sciences de Paris, l'autre devant l'Académie royale de Londres.

Les archéologues suivront désormais les conclusions de Boucher de Perthes en divisant l'âge de pierre en un âge de la pierre taillée et un âge de la pierre polie. On s'accorde aujourd'hui pour dire que la taille grossière du silex correspond à l'Abbevilien, 700 000 ans avant J.-C., et l'Acheuléen, qui présente un silex poli par percussion daté de 300 000 ans avant J.-C.

Boucher de Perthes aurait pu être écrivain, comédien ou acteur, mais les hasards de la vie l'ont placé à Abbeville comme directeur des Douanes. Le hasard fait parfois bien les choses puisque c'est à Abbevile qu'il deviendra le père de la préhistoire.

1854

Pasteur, doyen de la faculté des sciences de Lille

Pour répondre à la demande pressante des industriels de la région du Nord, la Société des sciences, de l'agriculture et des arts de Lille organisa des cours municipaux d'enseignement supérieur – physique : Delezenne, histoire naturelle : Lestiboudois, chimie : Kuhlmann. Lorsque sous Napoléon III, il fut décidé de doter chaque région de France d'une Faculté des sciences, l'existence des cours municipaux fit que ce fut à Lille que cette faculté ouvrit, alors que la Faculté des lettres se trouvait à Douai. Un jeune chimiste fut choisi pour en être le premier doyen : né à Dôle en 1822, Louis Pasteur acquit très tôt une certaine notoriété à la suite de ses recherches sur la cristallographie ; ses travaux sont au point de départ de la stéréochimie.

Le 7 décembre 1854, les discours à peine achevés et les peintures pas encore sèches, les choses sérieuses commencent. C'est un turbulent doyen qui vient d'arriver à Lille. Tout en faisant l'éloge de la théorie, il fustige "les esprits étroits qui dédaignent tout ce qui dans les sciences n'a pas une application immédiate". Il organise pour ses étudiants des voyages d'études qui les amènent dans les fonderies et les fabriques d'Aniche, Denain, Valenciennes, Saint-Omer. Il les conduit en Belgique au pied des hauts fourneaux et dans les ateliers métallurgiques. Lorsque les industriels lillois lui soumettent leurs problèmes de fabrication, il va sur place avant de proposer des solutions. C'est ce qui est arrivé lorsque, pour répondre aux questions de M. Bigo sur les techniques de production d'alcool, il scrute les fermentations de jus de betterave et le lait aigri, il observe un ferment constitué de globules plus petits que ceux de la levure de bière. "La fermentation avait donc pour origine un germe vivant qu'il était possible d'isoler et d'ensemencer afin d'en obtenir une "culture pure"." Ainsi donc Pasteur se trouvait aux sources d'une science nouvelle.

Ce ne sera qu'après avoir renouvelé ses expériences et après mûre réflexion qu'il fera part de ses découvertes au cours d'une réunion de la Société des sciences, le 3 août 1857. Il soumit aux membres son *Mémoire sur la fermentation appelée lactique*. Il y démontrait que cette fermentation est due à l'action de micro-organismes vivants. Le professeur Trénard, en historien, établira ce constat : "Pasteur, à Lille, a créé la méthode qui lui servira toute sa vie et qui lui permettra de fonder la microbiologie. C'est l'un des plus grands événements du XIXe siècle."

Appelé à Paris à d'autres responsabilités, trois années avaient suffi pour que Pasteur fasse de la Faculté des sciences de Lille un des centres universitaires les plus prestigieux de France. L'élan était donné. En 1876, l'École préparatoire de médecine et de pharmacie devient une faculté. En 1887 enfin, la décision est prise de réunir à Lille les quatre facultés d'État : lettres, droit, sciences, médecine et pharmacie. C'est Alfred Mongy qui dirigea les travaux financés pour moitié par la municipalité. En juin 1895, des fêtes grandioses furent organisées à l'occasion de l'inauguration. Lille devenait une des premières villes universitaires de France.

À la fin du siècle, lorsque la municipalité de Lille, désemparée devant les problèmes posés par l'épidémie de diphtérie, envoya une délégation auprès de Pasteur à Paris afin d'ouvrir un laboratoire à Lille, la réponse fut rapide et efficace : en janvier 1895, Albert Calmette, qui s'était illustré à l'Institut Pasteur de Saïgon, arrive à Lille, dirige la mise en place de ses laboratoires et commence ses travaux. Le 9 avril 1899, l'Institut Pasteur de Lille est inauguré. Hélas, Pasteur est mort. Il ne verra pas cette dernière réalisation.

1870

Faidherbe et l'armée du Nord

S'il est vrai que tout le monde en France s'attendait à une guerre avec la Prusse, personne ne pouvait imaginer le désastre qui allait suivre la déclaration de guerre le 17 juillet 1870 : défaites à Wissembourg, Froeschwiller, capitulation de Sedan le 2 septembre, suivie de la chute de Napoléon III et de la proclamation de la République.

Le gouvernement de la Défense nationale à Paris n'empêchera pas la chute de Toul, Strasbourg, Laon et enfin Metz, le 27 octobre. Gambetta quitte Paris pour organiser la défense. "Que les départements se lèvent", qu'ils se souviennent de la levée en masse de 1792 et prennent sur place les mesures pour endiguer l'avance allemande et surtout venir en aide à Paris. Aux pouvoirs civils d'organiser la victoire.

À Lille, Achille Testelin, ardent républicain, est promu commissaire général de la Défense nationale. À lui d'organiser la défense de la région. Bourbaki, bonapartiste convaincu, reçoit le commandement de l'Armée du Nord. Entre le républicain et le bonapartiste, les heurts vont vite tourner à l'affrontement si bien que Testelin fait appel au général Faidherbe, un Lillois bien connu pour ses idées républicaines qui lui ont valu son "exil" au Sénégal. Faidherbe est à Lille au début du mois de décembre 1870 et prend le commandement de l'Armée du Nord mal préparée et peu équipée. Pourtant, malgré l'hiver particulièrement rude, on a relevé des températures de -20°, il stoppe à Pont-Noyelles l'avance allemande vers Le Havre (23 décembre) puis, devant Bapaume (3 janvier 1871), l'oblige à se retirer des ponts de la Somme. Pour venir en aide à Paris, il déplace la confrontation vers Saint-Quentin, mais il est submergé et obligé de se retirer sur Valenciennes et Douai.

"En moins d'un mois, vous avez livré trois batailles et plusieurs combats à un ennemi dont l'Europe entière a peur. Vous lui avez tenu tête ; vous l'avez maintes fois vu reculer devant vous ; vous avez prouvé qu'il n'est pas invincible et que la défaite de la France n'est qu'une surprise amenée par l'ineptie d'un gouvernement absolu.

"Les Prussiens ont trouvé dans de jeunes soldats à peine habillés et dans des gardes nationaux des adversaires capables de les vaincre..."

"Honneur à vous !" (Ordre du jour signé Faidherbe.)

Le 18 janvier, Guillaume, roi de Prusse, est proclamé empereur allemand à Versailles.

L'armistice est signé le 28 janvier 1871. Le bilan de ces quelques mois de guerre est incroyable : 135 000 morts, 140 000 blessés, 400 000 prisonniers, 100 000 internés en Suisse, 50 000 maisons incendiées. Quant aux Parisiens, ils sont enfermés derrière leurs murs, et la famine menace.

Sans aucun doute, Gambetta a été l'âme de la résistance. L'Armée du Nord, malgré un hiver particulièrement rude, a essayé de contenir le flot des régiments allemands entre la frontière belge et Paris.

Le 28 février, Thiers et Favre signent les préliminaires de paix : la France perd l'Alsace et un tiers de la

Lorraine, et s'engage à payer un milliard avant la fin de 1871 et quatre milliards avant le 2 mars 1874. Bismarck aura ce mot cruel : "J'avais cru la France plus militaire et moins riche."

Faidherbe sera élu représentant républicain du Nord à l'Assemblée nationale en 1871 et, plus tard, sénateur du Nord le 5 janvier 1879. Il meurt le 29 septembre 1889. Devant son cercueil, Freycinet, ministre, déclara : "Ce ne fut pas seulement un grand capitaine, ce fut en outre un caractère à la manière antique, de la famille des Hoche, des Marceau, des Desaix. Simple, rigide, stoïque, suivant le devoir aussi naturellement que d'autres suivaient l'intérêt."

1872

Jules Verne à Amiens

Depuis l'année de son mariage en 1856, il était Amiénois, heureux de quitter le tapage parisien. Son éditeur, Jules Hetzel lui réclame un livre par an – *Cinq semaines en ballon*, *Voyage au centre de la Terre*, *De la Terre à la Lune*, *Aventures du capitaine Hatteras*, *Les Enfants du capitaine Grant*, *Vingt mille lieues sous les mers*, *Autour de la Lune* – et voilà qu'aujourd'hui l'Académie d'Amiens le reçoit avec le plus grand faste et attend un discours important. La guerre de 1870 l'avait surpris dans sa *Solitude* du Crotoy où il aimait rédiger dans le calme. À présent, la vie amiénoise le reprend et bientôt on lui demandera de participer à la vie de la cité, de se présenter aux élections où il sera élu et nommé adjoint.

Alors, ce discours : parlera-t-il de la science en marche ? où laissera-t-il courir son imagination ? Le temps lui est précieux, depuis longtemps il a appris à s'organiser : de 5 heures à 11 heures écriture, de 12 heures à 15 heures lecture des revues et journaux à la bibliothèque, de 15 heures à 20 heures entretiens, puis sortie, théâtre… Ainsi chaque jour, sauf lorsqu'il était au Crotoy où le spectacle de la mer ne le lassait jamais. Il venait d'y achever son dernier livre : *Le Tour du monde en quatre-vingts jours*… Pourquoi, plutôt qu'un discours oublié de tous sitôt terminé, pourquoi ne pas essayer d'en faire une lecture publique, quelques pages seulement. C'est ainsi qu'en ce 28 juin 1872, les Amiénois eurent la primeur de ce tout dernier livre qui ferait rêver des générations de jeunes. Combien de vocations d'inventeurs, d'explorateurs, de voyageurs et d'aventuriers sont nées à la lecture de ces pages ! Le capitaine Némo ne disait-il pas : “Ce ne sont pas de nouveaux continents qu'il faut à la terre, mais de nouveaux hommes.” De grands rêves naîtront : toujours plus loin, toujours plus haut, toujours plus…

Jules Verne a-t-il été le prophète du XXe siècle, lui qui avait vu naître les grandes inventions du XIXe siècle : le navire à hélice, la lampe à incandescence, le chemin de fer, le navire-ville, le ballon, le sous-marin et même l'avion, le plus lourd que l'air, lui qui avait prévu les trajectoires de ses fusées, lui qui avait prévu Cap Canaveral, l'observatoire de Palomar, la nourriture lyophilisée, l'électricité et ses applications, le disque, la télévision, la bombe H et les capsules interplanétaires... Quoi d'étonnant que tous ses grands personnages soient des scientifiques épris d'aventure ? Était-il aveugle sur l'avenir d'une science en pleine évolution ? À partir des années 1886, il sera prudent et réservé, peut-être méfiant.

Il n'a jamais été reçu à l'Académie française pas plus que Zola, mais Jules Verne reste l'auteur français le plus traduit au monde.

1884

Germinal

Découvert chez nous le 3 février 1720, le charbon a non seulement changé le paysage du bassin minier mais surtout transformé l'homme, la femme et l'enfant en outil de travail.

Pour mener son enquête, Zola arriva à Anzin en février 1884. Bien accueilli par les ingénieurs et par les ouvriers, à la surface comme au fond, il a pris les mêmes risques que les mineurs qui le guidaient. C'était la première fois qu'un journaliste parisien, qu'un écrivain, se donnait la peine de descendre à plusieurs centaines de mètres sous terre, de marcher, de ramper dans les galeries de plus en plus étroites. Revenu à la surface, il est entré dans les maisons des mineurs, dans les cabarets et même dans les bureaux, causant avec les uns, discutant des conditions de vie et de travail, et surtout il notait dans ses *Carnets sur Anzin* ses remarques et réflexions.

Germinal parut quelques mois plus tard, en novembre 1884, en feuilleton d'abord dans le journal *Gil Blas*, et l'année suivante, début mars, ce fut le livre *Germinal*. C'était, sans aucun doute, une autre façon d'écrire *J'accuse !* : "La mine doit être au mineur comme la mer est au pêcheur, comme la terre est au paysan. Vous m'entendez. La mine vous appartient, à vous tous qui depuis un siècle, l'avez payée de tant de sang et de misère !".

Quelques années plus tard, le 5 octobre 1902, ils étaient 50 000 personnes dans les rues de Paris pour accompagner la dépouille mortelle d'Émile Zola au cimetière Montmartre. Parmi les tout premiers du cortège, Dreyfus, puis les hommes politiques, puis les gens de lettres. Le service d'ordre est sévère. La foule est tenue à l'écart. Le discours d'Anatole France s'achève : "Il voulait que, sur terre, sans cesse un plus grand nombre d'hommes fussent appelés au bonheur… il fut un moment de la conscience humaine…".

Derrière lui, on commence à bouger. Il y a les facteurs des Postes. Il y a les socialistes de la Rive gauche, et il y a les mineurs, une délégation de mineurs de Denain, porteurs de fleurs rouges qu'ils jetaient sur le cercueil. C'est alors qu'un long et profond murmure s'amplifia, qu'aucune police ne réussit à réprimer… GERMINAL… GERMINAL… GERMINAL… Et la foule reprit, libérée de tous ces discours, de toutes ces futilités… GER. MI.

NAL, GER. MI. NAL, GER. MI. NAL. 10 000, 20 000 personnes peut-être rendirent ainsi hommage à celui qui s'était battu pour toutes les grandes causes.

> *"La mine vous appartient, à vous tous qui depuis un siècle, l'avez payée de tant de sang et de misère !"*

1888

Le chant de l'Internationale

Oublié aujourd'hui, Eugène Pottier avait participé activement à la Commune avant de trouver refuge en Angleterre et aux États-Unis. L'amnistie proclamée en 1880 lui permet de revenir en France. Avec Jules Guesde et Paul Lafargue, il jette les bases du Parti ouvrier français. Poète à ses heures, il écrit des textes révolutionnaires : *La Terreur blanche*, *L'Internationale*, *Le Monument des fédérés*, *L'Insurgé*. De passage à Paris, Gustave Delory, le futur maire de Lille, découvre le texte de l'*Internationale* et demande à un jeune membre de la chorale qu'il dirige, une musique adaptée au poème.

> *C'est la lutte finale.*
> *Groupons-nous et demain*
> *L'Internationale*
> *Sera le genre humain.*
> *Debout ! l'âme du prolétaire !*

Travailleurs, groupons-nous enfin.
Debout ! les damnés de la terre !
Debout ! les forçats de la faim !
Pour vaincre la misère et l'ombre
Foule esclave, debout ! Debout !
C'est nous le droit ! c'est nous le nombre :
Nous qui n'étions rien, soyons tout.

Ouvriers, paysans, nous sommes
Le grand parti des travailleurs :
La terre n'appartient qu'aux hommes.
L'oisif ira loger ailleurs.
C'est de nos chairs qu'ils se repaissent !
Si les corbeaux, si les vautours,
Un de ces matins disparaissent...
La terre tournera toujours. (Première version.)

Ainsi, quelques semaines plus tard, Pierre Degeyter chantera pour la première fois *Le Chant de l'Internationale*. Il était né à Gand en 1848, ses parents étaient venus chercher du travail à Lille. À 8 ans, il travaille comme rattacheur dans une filature, plus tard il apprend la menuiserie, le modelage sur bois, le dessin et surtout, il s'inscrit aux cours du soir du Conservatoire de musique de Lille.

En ce 23 juillet 1888, la chorale de La Lyre des Travailleurs réunie dans l'estaminet "À la Vignette", répète en chœur *Le Chant de l'Internationale* sous la direction de Gustave Delory. Il devint, du jour au lendemain, le chant de ralliement de la section Nord du Parti ouvrier français.

Dans ces années-là, ce qui se chantait le plus souvent dans les réunions, c'était *La Carmagnole*, *La Marseillaise*, et *Ça ira !* Lorsque la section Nord entra, drapeau rouge en tête, au gymnase Japy à Paris le 3 décembre 1899 sur l'air de *L'Internationale*, ce fut du délire... Le Congrès général des socialistes où étaient présents Jules Guesde, Jaurès, Viviani, Vaillant, Blum, Péguy, Langevin, et 700 délégués adopta d'emblée le nouvel hymne socialiste. Quelques années plus tard, en 1904, au VIe Congrès d'Amsterdam, après tous les discours et tous les votes, toutes les menaces de scission et les appels à l'unité, lors de la cérémonie de clôture, les 444 délégués des 22 nations représentées entonnèrent *Le Chant de l'Internationale*.

Les portes de la salle du Concert-Gebouw se refermèrent, on rangea les drapeaux rouges et l'on oublia les discours mais, de ce jour, *Le Chant de l'Internationale*, traduit dans toutes les langues, fit le tour du monde.

1891

Le 1er mai sanglant de Fourmies

Depuis plus d'un siècle, chaque année, le 1er mai renouvelle ses cortèges et ses slogans. Les temps ont bien changé, les revendications aussi ; entre marxistes, réformistes, économistes et anarchistes, discours et manifestations sont allés en s'amplifiant et en évoluant. On réclamait les trois 8 : 8 heures de travail, 8 heures de loisir, 8 heures de sommeil. On a surtout obtenu que cesse le travail des enfants qui trimaient plus de 10 heures par jour dans les usines textiles ou dans les mines, obtenu aussi que les femmes ne soient plus astreintes aux travaux les plus durs, au fond de la mine ou à l'usine, obtenu enfin, au fil des années, des règles d'hygiène et de sécurité du travail, une réglementation du travail et une protection sociale.

D'année en année, cette fête du travail a pris de l'ampleur. Il semble que ce soit aux États-Unis, le 1er mai 1886, que la première des grandes revendications enfin obtenue soit à l'origine de cette fête : la Fête du travail. Cela n'ira pas sans drames et sans morts.

En France, la tragédie éclata à Fourmies, le 1er mai 1891. Comme chaque jour, les sirènes des usines appellent au travail, mais un groupe passe de rue en rue, d'usine en usine, pour entraîner les uns et les autres au cortège. On crie, on chante le refrain du 1er mai : "C'est 8 heures qu'il nous faut… C'est 8 heures qu'il nous faut… Oh. Oh. Oh. Oh…" 8 heures de travail, 8 heures de loisir, 8 heures de repos… et 8 francs de salaire. Le cortège se renforce d'heure en heure et se rassemble sur la place de Fourmies, devant la Mairie.

Les patrons prennent peur. Le sous-préfet panique ; par téléphone à Maubeuge, il appelle la troupe en renfort. La foule, sur la place, réclame la libération des quelques grévistes arrêtés dans la matinée et enfermés dans une cave de la Mairie. Le face-à-face durera tout l'après-midi : 500 manifestants, hommes, femmes et enfants, attendent. Il est 17 heures. On s'énerve de part et d'autre. La tension monte. Le maire reçoit une délégation des ouvriers. Trois cents militaires arrivés de Maubeuge à marche forcée, attendent, l'arme au pied. Les notables sont là, dans la Mairie : que faut-il décider ? Quelques pierres volent. Les soldats mettent baïonnette au canon. Sommations. Plusieurs sommations. À 18 h 35, un ordre : FEU ! Trois salves. Le curé de la paroisse s'interpose. Trop tard. Maria, elle a 18 ans, brandissait un "mai" d'aubépines. Kléber, 19 ans, son fiancé, portait un drapeau tricolore. Émile, il a 11 ans, a une toupie dans sa poche. Avec eux, Louise, 20 ans, Ernestine, 17 ans, Félicie, 16 ans. Ils étaient rattacheur, soigneuse, tisseur ou écolier. Neuf morts en ce 1er mai 1891 à Fourmies, et une trentaine de blessés.

Clemenceau, à la tribune de la Chambre, déclarera : "Quand vous regardez ce qui s'est passé à Fourmies, qui pourrait soutenir ici ou devant l'Europe, devant le monde civilisé, que les faits qui se sont passés à Fourmies avant la fusillade justifient la mort de ces femmes et de ces enfants, dont le sang a pour si longtemps rougi le pavé ?"

1899

Édouard Branly

Né à Amiens le 24 octobre 1844, le petit Édouard ne pouvait échapper à une ambiance d'étude et de travail puisque son père était maître d'Études au lycée d'Amiens. Après des études brillantes à Amiens et Saint-Quentin, il est reçu à l'École normale supérieure à Paris. Il commence sa carrière d'enseignant comme professeur au Collège Rollin puis à l'Institut catholique.

Docteur ès sciences et docteur en médecine, il s'intéresse à l'anatomie et plus particulièrement au système nerveux : de là sa démarche scientifique. Il étudie le problème des contacts électriques imparfaits, le passage du courant à travers un empilement de billes métalliques, puis à travers une couche de limaille : d'où ses recherches sur l'action du champ électromagnétique alternatif. En 1890, il met au point le cohéreur à limaille. Suivra l'extraordinaire application dans la détection des ondes radio. La toute première transmission radio aura lieu en 1894.

En 1891, il avait déjà imaginé la première antenne qui permettrait d'accroître la distance entre émetteur et récepteur.

Au mois de mars 1899, Marconi établit la première liaison par TSF entre la France et l'Angleterre. Entre Wimereux et South Foreland, 52 km : les messages en morse passent avec une clarté étonnante. Le premier de ces messages rendra hommage aux recherches de Branly.

Les expériences continueront à bord de navires spécialement équipés, et tout de suite la marine, l'armée et la presse comprendront que l'on vient de découvrir là un extraordinaire moyen de rapprocher les peuples.

En 1901, la Société française de télégraphie et de téléphone sans fil est fondée sous la présidence technique de Branly.

En cette même année 1901, Marconi réalisera la première communication transatlantique par TSF entre les Cornouailles et Terre-Neuve soit 3 000 km.

(Le *Titanic* coulera en avril 1912 : la TSF était installée à bord ; le capitaine avait reçu cinq messages radios de différents navires lui signalant la présence de plusieurs icebergs sur sa route. Le capitaine maintint sa route et sa vitesse. Après avoir heurté un iceberg et lorsque le navire commença à prendre l'eau, il fit envoyer le signal de détresse SOS. Il y avait 2 201 personnes à bord. Il y eut 711 survivants sauvés par le *Carpathia* qui avait reçu le message de détresse par TSF, à 150 km du lieu du naufrage.)

1906

La catastrophe de Courrières

En ce 10 mars 1906, près de 2 000 mineurs descendent au 2 de Billy-Montigny, au 3 de Méricourt et au 4 de Billy-Montigny. Pourtant une inquiétude concernant la sécurité subsistait puisque un incendie s'était déclaré au puits 3 quelques jours auparavant, à 280 m de profondeur. Aucun danger, puisqu'il avait été maîtrisé par des barrages et des murs épais. Avant de descendre, un groupe se réunit quand même et pose la question au siège de Billy : la réponse est claire "On va arrêter la fosse pour six cents hommes ? Non, jamais !" À 6 heures, 6 h 30, tout le monde est en place, le travail est engagé, comme chaque jour…

Il était 7 heures, 7 h 05 lorsqu'une énorme explosion a secoué les installations des fosses 3 et 4. Des colonnes de fumée noire s'échappent des puits. Les mineurs sont pris au piège : les galeries s'effondrent, les gaz empoisonnent l'atmosphère, les éboulements se répercutent au loin, l'air se raréfie, les hommes sont broyés, asphyxiés ou blessés. Les valides portent sur leur dos ceux qui n'en peuvent plus. Les plus anciens se souviennent de l'existence de galeries abandonnées qui permettraient un retour en surface. Certains arrivent à l'accrochage. Combien sont-ils, ces rescapés ?

Dehors, à la surface, les familles secouent les grilles. Attendre. Attendre un mari, un père, un fils. Attendre… Attendre, des heures d'angoisse.

Au fond, les sauveteurs découvriront l'horreur. Sur des dizaines de kilomètres, le coup de poussier a tout détruit, tout renversé. Qui retrouvera-t-on et dans quel état ?

Mille quatre-vingt-dix-neuf morts, dont 16 sauveteurs. Voilà le bilan de la terrible catastrophe de Courrières. Les corps des victimes sont remontés un à un. Funérailles officielles. Ministres, officiels et syndicalistes y vont de leurs discours. Des mots… L'armée aussi s'installe : 22 000 hommes et 3 500 chevaux. Interventions musclées de la police. Pendant ce temps, sous terre, les survivants tentaient de retrouver le jour, se nourrissant de ce qu'ils trouvaient dans les écuries des chevaux : carottes, avoine et paille de foin. Vingt jours durant, ils ont cherché la lumière et la vie. Au 20e jour, ils seront treize à refaire surface, parmi eux, un mineur de 45 ans et son fils âgé de 15 ans. Cinq jours plus tard, un dernier survivant apparaît à la stupéfaction de tous : Pierre Berthon, il a survécu 25 jours durant, avec, chevillée au cœur, la rage de vivre.

"Je jure, sur cette tombe qui nous glace d'horreur, sur ces cercueils, que justice sera rendue aux vivants. Justice sera rendue à l'humanité. Si un jour le prolétariat minier, affranchi de la pesante oppression capitaliste, libéré de son servage, connaît des jours enfin paisibles, tranquilles et heureux, il n'oubliera pas votre martyre. Adieu, mes camarades, adieu. Adieu." Paroles du député-mineur Basly devant la fosse de Méricourt-Coron, le jour des funérailles.

1909

Blériot traverse la Manche en avion

Depuis que l'homme est homme, le rêve de l'oiseau le hante. Voler libre dans les airs, quitter la pesanteur. Certes, il y a eu la montgolfière, les ballons et les aérostats en tous genres. Ils ne faisaient que voler, survoler. Au début de ce siècle, une formidable bataille s'est engagée pour vaincre "le plus lourd que l'air". C'est Blériot qui mit au point cette extraordinaire machine volante qui lui permettra, le 25 juillet 1909, de joindre, d'un seul coup d'aile, le vieux continent européen à l'Angleterre, par-dessus la Manche.

En 1909, les hommes de l'air sont déjà les héros d'une époque : qu'ils s'appellent Wright, Latham, Blériot,

Farman ou Curtiss, ils sont ovationnés partout où ils vont et font la une des grands quotidiens. Manifestations aériennes, records de vitesse, de durée, d'altitude, de distance… restait un défi : voler au-dessus de l'eau, quitter la terre ferme et sa sécurité pour traverser les mers et les océans… L'occasion en serait donnée par le Champagne Ruinart et le *Daily Mail* qui offraient 37 500 francs-or au premier aviateur qui traverserait la Manche.

Hubert Latham fut le premier à relever le défi avec son avion *Antoinette n° IV*. Le 19 juillet, il s'installe aux commandes de son avion. À 6 h 47, le moteur tourne. Départ. L'aéroplane quitte la falaise de Sangatte et s'élance vers l'Angleterre… Hélas ! le moteur tousse, s'arrête, l'avion descend doucement, se pose sur les flots… Le rêve passe.

Voyant l'échec de Latham, Louis Blériot amène son avion, le *Blériot n° XI*, à proximité du village des Baraques, entre Sangatte et Calais. La tempête cloue au sol toute envie de sortir. Mais le 25 au matin, elle cesse. Blériot est debout à 2 h 0, arrive aux Baraques et décide de traverser. Plein d'huile et d'essence. 4 h 10, tout est prêt, l'avion est amené face au vent… "Laissez aller." Le *Blériot* prend son envol et file tout droit vers Sangatte : l'essai est concluant. L'avion revient à son point de départ aux Baraques. À 4 h 20 l'avion est replacé face à la dune. À 4 h 35, avec le lever du soleil, le monoplan de Louis Blériot prend son envol.

Qu'elles furent longues ces 10 minutes où Blériot entre ciel et mer, boussole bloquée et sans repère, perdu dans la brume, se demandait si l'Angleterre était à sa gauche ou à sa droite. Heureusement pour lui, une escadre anglaise approchait et se dirigeait vers le port de Douvres. Ainsi donc, Douvres était à sa gauche. Il entama une large boucle et se retrouva face au vent, pris dans des embardées mais, au loin se devinait le port de Douvres. L'avion descendit vers un vallon au pied du château de Douvres.

Ô miracle ! un immense drapeau tricolore lui indiquait qu'il était arrivé au point précis du rendez-vous que Charles Fontaine, journaliste au *Matin* lui avait proposé.

La Manche était franchie. Parti de France à 4 h 35, il atteignait l'Angleterre en 38 minutes après avoir parcouru 48 km, compte tenu du détour de 6 à 7 km, à une moyenne de 75 km/h.

Sur les traces de Blériot et Latham s'élanceront bientôt tous ces hommes épris d'espace et de liberté : Santos-Dumont, Curtiss, Ferber, les frères Morane, Védrines, Garros, Pégoud, les frères Navarre, Nungesser, Guynemer, Fonck, Coli, Lindberg, Costes et Bellonte, Mermoz et Guillaumet, Saint-Exupéry et bien d'autres.

Lorsque le soleil s'est levé sur le sable de Blériot-Plage en ce 25 juillet 1909 à 4 h 35, la grande aventure de l'aviation prenait son envol.

XXe siècle

La Grande Guerre		221
1927	Radio PTT Nord à Lille	229
1936	Les congés payés	230
1936	Mort de Roger Salengro	232
La Seconde Guerre mondiale		234
1945	La bataille du charbon	244
1950	Naissance de Télé-Lille	247
1954	L'autoroute A 1	249
1964	La sidérurgie sur l'eau	251
1966	La Communauté urbaine de Lille	253
1968	Le Parc naturel régional de la Scarpe et de l'Escaut	255
1971	Renault à Douai	257
1980	La centrale nucléaire de Gravelines	258
1983	Inauguration du VAL	260
1984	Centre historique minier de Lewarde	262
1991	Nausicaà à Boulogne-sur-Mer	264
1992	L'Historial de la Grande Guerre à Péronne	266
1993	Ouverture des frontières et ouverture de l'autoroute A 16	268
1993	TGV Paris-Lille et Euralille	270
1994	Ouverture du tunnel sous la Manche	272
1999	La baie de Somme parmi "les plus belles baies du monde"	274
2000	Pierre Mauroy	277
Quelle terre pour nos enfants ?		281
Pour une eurométropole franco-belge		283

1914-1918 : la Grande Guerre

L'année s'annonçe belle : *Parsifal* fait un triomphe à Paris, l'emprunt russe a déjà rassemblé 8 221 000 francs, le roi George V est reçu à Paris, la tour Eiffel se dote d'une installation nouvelle : la TSF, Roland Garros est grand vainqueur à Monaco et la nouvelle Panhard-et-Levassor – 20 CV sport – devient la coqueluche du public. D'un coup, c'est le drame. L'archiduc François-Ferdinand de Habsbourg, héritier du trône austro-hongrois, et sa femme, la duchesse de Hohenberg, sont assassinés à Sarajevo le 28 juin 1914. Est-ce un simple titre pour la presse du lendemain ou, au contraire, la fin du fragile équilibre des alliances, capable de précipiter l'Europe entière dans une poudrière ?

Le mois d'août 1914 tourne, une à une, les pages d'un calendrier effrayant :

1er août : la France décrète la mobilisation générale.

L'Allemagne déclare la guerre à la Russie.

2 août : l'Allemagne envahit le Luxembourg et adresse un ultimatum à la Belgique.

3 août : l'Allemagne déclare la guerre à la France et à la Serbie.

4 août : l'armée allemande envahit la Belgique.

5 août : l'Autriche-Hongrie déclare la guerre à la Russie.

6 août : la Serbie déclare la guerre à l'Allemagne.

12 août : la France et la Grande-Bretagne déclarent la guerre à l'Autriche-Hongrie.

23 août : le Japon déclare la guerre à l'Allemagne.

Les uhlans terrorisent les campagnes aux alentours d'Arras.

Suivant une stratégie mise au point de longue date, les armées de von Kluck et von Bülow sont aux portes de Paris le 5 septembre. C'est le général Gallieni, gouverneur de Paris, qui décidera de la victoire de la Marne. "Bataille gagnée, ou victoire perdue" ?

Dès lors, de la mer du Nord aux Vosges, deux armées resteront face à face pendant quatre ans, Britanniques, Belges et Français d'un côté, Allemands de l'autre, chacun creusant l'argile ou la craie, pour s'enterrer dans les tranchées. Commence une véritable guerre de siège, nations contre nations, avec ses offensives et contre-offensives, ses tirs d'artillerie, ses destructions systématiques des villes et villages poussant les populations effrayées à fuir, destructions systématiques encore du patrimoine, beffrois et châteaux, humbles églises et cathédrales... Cette volonté de destruction soulève l'indignation internationale (sauf des neutres !) Ils viendront du monde entier pour participer à cette guerre dont les enjeux s'annonçaient décisifs pour le siècle à venir : États-Unis et Canada, Australie, Nouvelle-Zélande, Afrique du Sud, Indes ; venus aussi des colonies françaises, Algérie, Tunisie et Maroc, Indochine, Madagascar, Réunion, Martinique et Guyane, AOF et AEF, ils sont morts chez nous, pour la défense de nos libertés.

De formidables batailles sont engagées pour la défense d'une ville stratégique, pour emporter une vallée, un sommet, une route, une colline…

1916 sera à jamais l'année de la bataille de Verdun. Les Français y ont perdu 162 000 hommes et les Allemands 143 000.

1916 fut aussi l'année de la bataille de la Somme. De juillet à novembre, entre Péronne, Albert, Combles, Beaumont-Hamel et Longueval plus de 40 nations ont laissé 1 350 000 morts. Ils étaient anglais, polonais, canadiens, africains, néo-zélandais, australiens, chinois, birmans, égyptiens, indiens… Rien que dans la Somme, 443 cimetières sont leur dernière demeure.

Lorsque débute l'année 1917, les gouvernements se posent la question de savoir si les buts recherchés par les armes valent les sacrifices demandés tant aux armées qu'aux populations civiles. À Paris comme à Londres, à Berlin comme à Vienne, le découragement interroge les consciences.

Début avril, Nivelle vient de remplacer Joffre au commandement des armées. Il présente le plan d'une bataille "décisive" qui doit déloger les Allemands du Chemin des Dames. Le 16 avril au matin, 3 000 pièces d'artillerie font

Le monument aux morts de Lens.

tomber un déluge d'acier sur les positions allemandes. Comme les régiments allemands sont à l'abri dans les cavernes et les grottes qui truffent le plateau, l'offensive française est brisée net : 271 000 hommes tombent en quelques jours. Nivelle est sacrifié, et Pétain, le vainqueur de Verdun est appelé à lui succéder.

En novembre 1917, les Anglais engagent la bataille de Cambrai : pour la première fois, ce sont les chars qui ouvriront le front allemand, 400 chars de 28 tonnes. Ce fut une victoire sans pareille saluée en Grande-Bretagne par toutes les cloches du pays. Hélas ! victoire sans suite puisque l'infanterie n'a pas suivi, et la contre-attaque allemande fut foudroyante.

1918. Les Allemands sont désormais sûrs de la victoire prochaine. Les renforts Américains sont bien arrivés mais pas encore entraînés. Les Russes viennent de signer un armistice le 15 décembre 1917, libérant

100 000 prisonniers allemands et 1 600 000 prisonniers austro-hongrois. Les régiments allemands fixés à l'est font mouvement vers l'ouest. Pour les Alliés, la menace est certaine et redoutable.

Le 21 mars 1918, à 4 heures du matin, entre La Fère et Arras, sur 70 km de front, l'artillerie allemande écrase les lignes anglaises. C'est la ruée vers Chauny, Noyon, Ham, Roye, Péronne et Albert. Haig veut se replier sur Étaples, Boulogne et Calais. Pétain veut tenir sur la Somme. Les 30 et 31 mars, l'avance s'épuise. Foch prépare la contre-attaque : il n'en aura pas le temps.

Le 9 avril, c'est vers Ypres et Béthune, sur les rives de la Lys que s'engage la bataille. Cette fois, les Allemands veulent atteindre la mer et les ports. La bataille de la Lys dure 20 jours. Ni Ypres, ni l'Yzer, ni les ports ne tombent. Anglais et Portugais y perdent 250 000 hommes. Le plus dur reste à venir.

Entre deux, les Alliés se réunissent à Doullens le 26 mars : il est urgent de mettre en place un accord sur le commandement unique. À la fin de la réunion, c'est Foch qui est chargé de "coordonner l'action des armées alliées sur le front ouest".

Le 27 mai, à 1 heure du matin, 1 000 batteries isolent un front de 90 km entre Craonne et la crête du Chemin des Dames. À 9 heures les régiments allemands dévalent vers l'Aisne et occupent les ponts d'Œuilly, Chavonne et Vailly. Au soir du 27 mai, les portes de Paris sont ouvertes... comme en 1914. Le 31 mai, Ludendorff lance 30 divisions entre la Marne et l'Oise. Tombent Château-Thierry et Soissons. Mais Reims tient.

Foch médite sur les défaites des semaines précédentes. Aux attaques surprises de Ludendorff faut-il répondre par des attaques surprises françaises et anglaises ?

Le 15 juillet, à 1 heure du matin, les Allemands donnent l'assaut à la Montagne de Reims. Devant eux, noirs américains, tirailleurs marocains, chasseurs polonais, fantassins français, Italiens du Piémont et de Toscane, Sénégalais et territoriaux. Le front ne bouge pas. Le 18 juillet, la situation se retourne, de l'Aisne à l'Yser, les Allemands se retirent sur la ligne Hindenburg.

Désormais, Foch pousse ses divisions pour désarticuler le front allemand : Bapaume est libérée le 27 août, puis Roye, Noyon, Péronne. En septembre, c'est la libération de Cambrai puis Saint-Quentin, Le Cateau et Lille. En novembre, les Alliés atteignent Valenciennes et Maubeuge et reprennent la Sambre, l'Escaut et le canal de la Marne au Rhin.

Le 11 novembre 1918, à Rethondes, la convention d'armistice est signée par les Allemands à 5 h 20. À 11 heures, les hostilités cessent sur tout le front ouest, de la mer du Nord au Jura.

De la Picardie à la Flandre, le front laisse béante, une profonde déchirure de ruines, de deuils et d'horreurs. Cette guerre a "consommé" 1 milliard d'obus dont 50 millions d'obus à gaz. On découvrira bientôt la teneur de certains ordres : "Nous devons mettre les villes à feu et à sang ; égorger hommes, femmes et enfants ; ne rien laisser debout, ni arbres, ni maisons." (Guillaume II à l'empereur d'Autriche.)

"On ne fait pas la guerre avec de la sentimentalité. Plus la guerre est faite impitoyablement, plus elle est humaine au fond, car elle prendra fin d'autant plus vite." (Hindenburg.)

"Aucune localité, aucun village, aucune église, aucune maison, aucune route, aucun pont, aucune voie ferrée, aucun bois, aucun arbre à fruits ne sera épargné. Tout doit être et sera détruit... Ce qui restera ne sera que désert, paysage lunaire, mort. L'acharnement de la guerre ne connaît aucune pitié." (Von Beumelburg.)

Après la guerre, tout est à refaire : 53 000 maisons détruites, 307 000 maisons endommagées, 400 000 ha de terre ravagés, 7 000 km de route à reconstruire, 1 500 km de voies ferrées inutilisables, 11 600 usines vidées ou saccagées, les mines noyées, des villes entières

Après la libération du Cambrésis en octobre 1918, des soldats anglais apportent leur aide aux habitants qui rentrent dans leur village.

pulvérisées : Bailleul, Armentières, Comines, Arras, Lens, Albert, Bapaume, Péronne…

Il faudra vingt ans pour "récupérer" les terres brûlées de Picardie. Quant à la mer, de la Manche à la mer du Nord, elle sera pendant plus de dix ans, la poubelle des champs de batailles.

"Un sentiment commun apparaît chez tous les peuples belligérants, l'horreur des massacres commis… Du moins les haines séculaires, les fureurs nationales, formidables et aveugles courants qui sont à eux seuls une cause suffisante de conflits, cette guerre les aura-t-elle endigués ?… Est-ce que la France oubliera vite, si tant est qu'elle l'oublie jamais, 1 500 000 morts, son million de mutilés, Lille, Dunkerque, Cambrai, Douai, Arras, Saint-Quentin, Laon, Soissons, Reims, Verdun détruites de fond en comble ? Est-ce que les mères qui pleurent vont soudain sécher leurs larmes, est-ce que les orphelins vont cesser d'être orphelins, les veuves d'être veuves ? Est-ce que des générations durant, dans toutes les familles de chez nous, on ne se lèguera pas les souvenirs formidables de la plus grande des guerres, semant au cœur des enfants ces germes de haines de nations que rien n'éteint ?… Chacun sait, chacun sent, que cette paix n'est qu'une mauvaise couverture jetée sur des ambitions non satisfaites, des haines plus vivaces que jamais, des colères nationales non éteintes" (Charles de Gaulle, conférence sur "La limitation des armements", octobre 1918. Cité par Annette Becker dans le livre : *1914-1918, Le Pas-de-Calais en guerre*).

1927

Radio PTT Nord à Lille

En ce 3 avril 1927, le président de la République, Gaston Doumergue, fait le voyage de Lille pour l'inauguration solennelle de la station d'émission Radio PTT Nord à Lille. C'était un signe d'encouragement donné au Nord par le gouvernement. En effet, jour après jour, villes et villages sortaient peu à peu des ruines accumulées pendant les années de guerre. Tout était à refaire et à rebâtir, maisons et usines, gares et voies ferrées, routes et canaux, ponts et ouvrages d'art.

Lille en particulier retrouvait son rôle de capitale régionale. La Foire commerciale ouvrait ses portes en ce 3 avril 1927 : ce serait donc le grand jour pour lancer la formule restée célèbre "Ici Radio PTT Nord à Lille". Suivront les discours prononcés à la Chambre de commerce, discours à la Mairie, concert. Le soir, à la Préfecture, grande réception, discours, et encore des discours… Présente partout, Radio PTT Nord à Lille !

La longueur d'onde, 287 m, s'enrichira bien vite de programmes étonnamment diversifiés : place à la musique, musique reproduite, comme on le disait à l'époque, mais aussi concerts en direct. Mieux, on programmait déjà des soirées dramatiques et des soirées théâtrales. Un feuilleton passera le soir : *Les Ondes qui trahissent*, personne ne manquait la suite du suspense. Bientôt on entendra les vedettes : Simons et Line Dariel, le célèbre Marceau et ses soirées d'accordéon, et bien d'autres…

Léon Plouvier était chef de station. Diverchy tenait le micro et Maurice Prot avait été bombardé mécanicien de la station. Et ça marchait. Peu de monde pour écouter "le poste" le premier jour, c'est certain. Mais très vite, les studios une fois installés à la Porte de Paris, Radio PTT Nord à Lille prendra son essor.

Robert Lefebvre écrirait un jour : "Vous vous plaignez, Monsieur, d'avoir des choses à dire et de n'être pas écouté ? Il y a pire : ne trouver personne qui ait aujourd'hui quelque chose à dire aux autres."

1936

Les congés payés

L'arrivée au pouvoir du Front populaire n'est en fait que la résultante des crises économiques qui ont frappé nos pays du Nord comme partout ailleurs. Dès 1931, le chômage touche de plus en plus d'entreprises, les grèves d'Halluin, de Fourmies, comme celles de Roubaix et de Tourcoing, laissent le monde ouvrier dans la détresse et l'incertitude de l'avenir et poussent à l'unité des mouvements de gauche. La lutte des classes trouvera son écrivain avec Maxence Van der Meersch lorsqu'il publiera *Quand les sirènes se taisent* (1933). La crise se renforce en 1935 où l'on voit la production industrielle chuter de 25 % laissant des milliers de chômeurs sur le carreau. Les chiffres de l'époque révèlent que 10 % des chômeurs de toute la France se trouvent dans le Nord !

Compressions de personnel dans les mines (plus de 50 000 Polonais sont renvoyés dans leur pays), compressions de personnel dans l'industrie textile.

Aux élections de mai 1936, c'est un triomphe électoral de la gauche. Socialistes et communistes enlèvent la majorité des sièges. Les départements du Nord-Pas-de-Calais-Picardie sont, dans leur majorité à gauche. Le 4 juin, le président de la République, Albert Lebrun, désigne Léon Blum pour former le gouvernement. À peine installé à Matignon, Léon Blum appelle auprès de lui trois députés du Nord qui joueront un rôle capital : Léo Lagrange, nommé sous-secrétaire d'État aux Sports et aux Loisirs, Roger Salengro à l'Intérieur et Jean Lebas au Travail. Tout ira très vite puisque le 11 juin, la Chambre vote les 12 jours de congés payés et le 12 juin, c'est la semaine des 40 heures. Y a-t-il eu unanimité autour des projets de la gauche ? Certainement pas, ni à droite, ni à gauche d'ailleurs. Et pourtant, les réformes se poursuivront : nouveau statut de la Banque de France, scolarité obligatoire jusqu'à 14 ans, nationalisation des industries de guerre, dissolution des ligues factieuses et mise en place de l'Office du blé chargé de réguler les prix.

L'année 1936 fut l'année de tous les grands changements pour la France. Pour le Nord-Pas-de-Calais, 1936, après les grandes grèves, fut l'année des premiers congés payés. Pour la première fois, on a parlé de la ruée vers la mer. Léo Lagrange négocie avec les Chemins de Fer des billets offrant 40 % de réduction : dès 1936, il y eut 360 000 billets vendus, en 1937, 1 800 000 et en 1938,

1 500 000 ; les Auberges de jeunesse s'ouvrent un peu partout, les campings s'organisent et "les trains de plaisir" rencontrent un succès incroyable. Combien sont-ils, chez nous, à avoir découvert la mer pour la première fois en cette année 1936 : les foules plus habituées aux sirènes des usines découvraient le bruit des vagues. C'est l'année de l'explosion de Bray-Dunes, Malo-les-Bains, Le Touquet-Paris-Plage, Sainte-Cécile, Stella-Plage…

"Tout va très bien, Madame la Marquise ! Tout va très bien, tout va très bien ! … Pourtant il faut, il faut que l'on vous dise, un tout petit tout petit rien."

1936

Mort de Roger Salengro

Le 18 novembre 1936, Roger Salengro était découvert mort en son appartement du 16, boulevard Carnot à Lille. La thèse du suicide a tout de suite été retenue. Restait à l'expliquer et peut-être à comprendre.

Au lendemain de la guerre 1914-1918, Roger Salengro était une des chevilles ouvrières de la résurrection de Lille. Que faire dans une ville où les usines étaient en ruine ou vidées de leurs machines ? La vie était chère et les caisses de la ville étaient vides. Quarante mille chômeurs rêvaient de la reprise du travail. Que faire ?

En quelques années, le quartier Saint-Sauveur laissera place à un quartier moderne dominé par le beffroi et la nouvelle Mairie, symboles du renouveau. À Roger

Salengro incombera la tâche de s'occuper plus spécialement des crèches et des logements sociaux, et de lancer les travaux de la Cité hospitalière.

Rien d'étonnant de voir Léon Blum appeler Roger Salengro à le rejoindre quand il forme son cabinet de Front populaire. C'est le moment choisi par une certaine presse – *Gringoire* et *L'Action française* – de reprendre une accusation selon laquelle Roger Salengro aurait été jugé pour désertion à l'ennemi en 1915 : par trois fois, ces accusations ont été reconnues sans fondement. Roger Salengro lui-même demande à une commission d'Anciens Combattants d'examiner son dossier : il est lavé de tout soupçon. Son honneur est sauf.

Hélas ! Calomniez, calomniez, il en restera toujours traces, rumeurs et questions. Attaqué dans son honneur, il n'a pas supporté davantage les calomnies. Il est mort à 46 ans. Quelques jours plus tard, le 22 novembre, 200 000 personnes lui rendront un hommage unanime. Le cardinal Liénart, présent lui aussi aux funérailles, aura ce mot : "Une presse qui se spécialise dans la diffamation ne peut être une presse chrétienne."

La Seconde Guerre mondiale

"La guerre de 1939, contrairement à celle de 1914, n'a pas été celle des nations, mais bien plutôt des idéologies et des ethnies, fascistes contre communistes, totalitaires contre démocrates, Aryens contre Juifs, Germains contre Slaves."

(Emmanuel Berl)

L'Allemagne n'ayant pas accepté l'application des clauses du traité de Versailles, cherche par tous les moyens à rétablir sa puissance : occupation de la Ruhr, réarmement, intervention en Espagne, Anschluss de l'Autriche, crise des Sudètes et enfin Munich. Les démocraties laissaient la porte ouverte à toutes les pressions à venir : l'Allemagne en Europe, l'Italie en Méditerranée et en Éthiopie et le Japon en Chine.

La France n'est pas prête à entrer dans une nouvelle guerre : face au Reich qui dispose de 12 millions de soldats, de 3 200 blindés et de 2 500 avions, la France et l'Angleterre comptent sur les renforts des colonies, l'aviation a été oubliée, l'industrie de l'armement n'a pas, de loin, l'organisation nécessaire, les mises en garde du colonel de Gaulle sur l'avenir de l'arme blindée et de son utilisation n'ont pas été écoutées (sauf en Allemagne, où le livre Vers l'armée de métier fut traduit sur ordre d'Hitler), quant à la ligne Maginot, certes elle défendait la frontière de l'est mais laissait à découvert la frontière nord… D'ailleurs, l'état-major français considérait les

Ardennes comme infranchissables.

Étonnante conjonction d'événements en ce début d'année 1939 : le cardinal Pacelli devient le pape Pie XII, les Allemands entrent à Prague, le maréchal Pétain est nommé ambassadeur à Madrid, Albert Lebrun est réélu président de la République, les Italiens envahissent l'Albanie, à Lille, Roubaix, Tourcoing, on inaugure l'exposition du Progrès social, Staline signe un traité de non-agression avec l'Allemagne, la Grande-Bretagne et la Pologne signent un pacte d'assistance… et le 1er septembre 1939, les troupes allemandes envahissent la Pologne qui n'a que sa cavalerie à opposer aux chars et aux avions.

Le 1er septembre, Paris décrète la mobilisation générale et, le 3, la guerre est déclarée à l'Allemagne. Commence alors ce que l'on appellera "la drôle de guerre", chacun restant sur ses positions, de part et

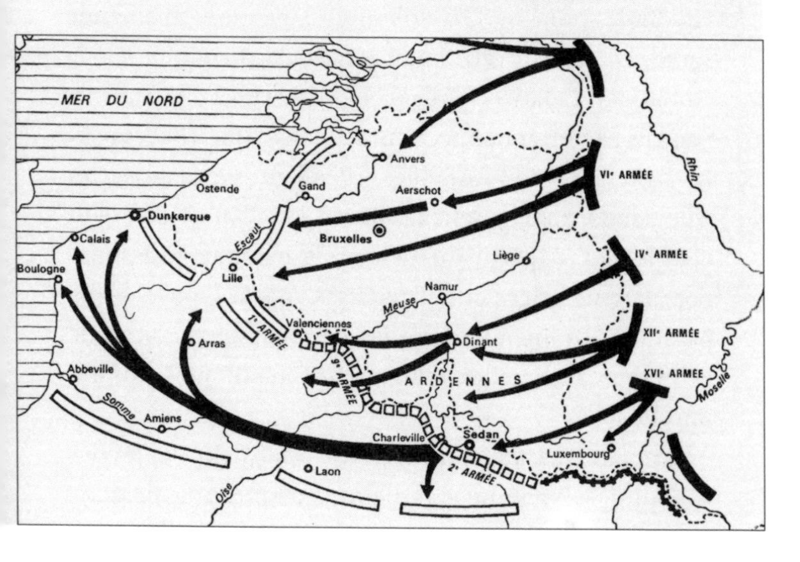

d'autre de la ligne Maginot. Par contre, les Russes envahissent la Finlande, les Allemands entrent en Norvège et au Danemark et les Français et les Anglais débarquent à Narvik pour "couper la route du fer". Décidément, c'est ailleurs que la guerre va se dérouler. Cette attente n'est même pas mise à profit pour organiser la défense de la frontière nord.

Qui peut imaginer que 114 divisions allemandes attendent dans le plus grand secret le signal du départ. "Une calamité sans égale dans l'histoire" va déferler sur le monde. La Seconde Guerre mondiale commence le 10 mai 1940.

La Guerre éclair

Sans aucune déclaration de guerre, le 10 mai 1940, les divisions allemandes envahissent la Belgique, la Hollande puis le Luxembourg. L'aviation allemande sème la terreur en bombardant la Belgique et la Hollande, Calais, Doullens et Abbeville. Français et Anglais se portent au secours de la Belgique et occupent la ligne Zélande-Ardennes. Pendant ce temps, les Allemands franchissent la Meuse à Sedan et déferlent vers le sud. À partir du 14 mai, la panique pousse les populations belges et hollandaises vers la France. Cette panique entraînera bientôt les populations du Nord de la France à chercher refuge, elles aussi, vers un sud improbable.

Le plan mis au point par von Manstein en février 1940 est suivi point par point, comme à la parade :

avancer le plus vite possible, éviter les îlots de résistance, les contourner si besoin est, rejoindre la mer en suivant la vallée de la Somme, remonter vers le nord, par la côte et prendre au piège, dans ce grand coup de faucille, les armées françaises et anglaises. Une fois encore, les départements du Nord-Pas-de-Calais-Picardie deviennent "les champs de bataille prédestinés".

Le désastre est rapide et sans fioriture : le 17 mai, les Allemands sont à Avesnes, Landrecies et Fourmies ; le 18, Maubeuge, Saint-Quentin ; le 19, Cambrai, Péronne, Albert ; le 20, Amiens et Abbeville ; le 23, Saint-Omer et le 24, les chars allemands s'arrêtent devant Dunkerque où 400 000 hommes sont encerclés... Tombent Arras, Boulogne, Calais... Lille tient toujours et retient les divisions allemandes. Le 26 commence à Dunkerque, l'opération Dynamo. Le 29, de Gaulle attaque le flanc allemand au mont Caubert à Abbeville. Le 1er juin, à Lille, le 43e RI se rend avec les honneurs de la guerre. Dans la nuit du 3 au 4 les derniers britanniques quittent Dunkerque. Restent 40 000 hommes qui seront faits prisonniers.

Le 14 juin, les Allemands entrent à Paris.

Le 17 juin, à la radio, le maréchal Pétain déclare : "Il faut cesser le combat".

Le 18 juin, à la BBC à Londres, de Gaulle invite les Français à poursuivre le combat : "La France a perdu une bataille ! Mais la France n'a pas perdu la guerre !".

Le 22 juin, l'armistice, demandé par la France, est signé dans la clairière de Rethondes, en forêt de Compiègne, à bord du wagon où fut signé l'armistice de 1918.

L'occupation

Voilà donc à nouveau le Nord-Pas-de-Calais-Picardie "Dans la main allemande". S'abattra sur nos villes et villages la toute-puissance de l'occupant. Chacun aura à se poser ces questions lancinantes : comment vivre et survivre ? faut-il travailler, mais pour qui ? faut-il résister, mais avec qui et pour quel idéal ? faut-il fuir, mais où ? peut-on résister à l'occupant ou faut-il accepter de collaborer ? La petite flamme de l'espérance, comment la nourrir, un an, deux ans... Quatre ans ?...

Le 12 juillet 1940, les députés du Nord présents à Vichy votent les pleins pouvoirs au maréchal Pétain. Les autres députés sont aux armées ou partis sur le Massilia vers le Maroc. Qui dira le chemin à suivre... ?

En face du maréchal Pétain, d'autres militaires de chez nous choisiront la résistance.

Le général Frère, né à Grévillers, près de Bapaume, prend la tête de l'Organisation métropolitaine de l'Armée. Arrêté en juin 1943, il mourra au camp de Struthof en juin 1944.

Le général Delestraint, est né à Biache-Saint-Vaast. Mis à la retraite en mars 1939, il reprend du service et commande les 2e et 4e DCR aux ordres de de Gaulle devant Abbeville. En décembre 1942, de Gaulle lui demande de créer une armée secrète. Arrêté en même temps que Jean Moulin en juin 1943, il fut, lui aussi, envoyé au camp de Struthof où il fut abattu le 19 avril 1945.

Philippe Marie de Hautecloque, né à Belloy-Saint-Léonard, organise la défense de Lille en mai 1940. Fait prisonnier, il réussit à s'enfuir et reprend le combat en Champagne. Pris à nouveau, il se sauve, rejoint Perpignan, puis Lisbonne et Londres où il devient le commandant Leclerc. De Gaulle le nomme gouverneur du Cameroun, c'est de là qu'il partira vers Koufra et Tripoli à la tête d'une colonne de FFL. En 1944, commandant la 2e DB, il libère Paris, Strasbourg et continuera jusqu'à Berchtesgaden.

Et puis, il y avait de Gaulle, né à Lille certes, mais inconnu dans sa ville natale, ou presque. Que faisait-il donc à Londres ? N'était-il pas condamné pour “intelligence avec une puissance étrangère”, condamné à mort avec dégradation militaire et confiscation de ses biens ? De qui tenait-il son pouvoir ?

Qui écouter ? Sous quelle bannière se ranger ? Quel emblème choisir : la Francisque ou la Croix de Lorraine ?

La Résistance

Dès 1940-1941, des réseaux de résistance se mettent en place. Ici, on coupe les câbles téléphoniques, ailleurs, on récupère les armes abandonnées par les Anglais et les Français, des filières s'organisent pour permettre l'évasion vers l'Espagne et le Portugal, fonctionnaires des Douanes et de la SNCF assurent des passages vers l'Angleterre… Le réseau OCM, Organisation civile et militaire commence son action en décembre 1940. Le Mouvement Voix du Nord lance son journal. Dès son n° 1, Pierre Hachin écrit : “On ne transige pas avec le devoir et l'honneur, on ne pactise pas avec le mal, on ne collabore pas avec l'ennemi." Le réseau Sylvester-Farmer travaille dans l'ombre et le danger : 344 de ses membres seront tués, fusillés ou déportés. Le réseau Alliance comprenait surtout des officiers. À partir de juin 1941, le Parti communiste mobilisera ses Francs-Tireurs-Partisans. Les Polonais, eux aussi, auront leurs réseaux actifs et efficaces. Quantité de petits groupes naissent ainsi, séparément, agissant en toute indépendance, s'ignorant souvent les uns les autres, par sécurité.

Il y aura aussi des évasions spectaculaires comme ces cinq jeunes qui, dans la nuit du 16 septembre 1941, quittèrent la plage de Fort-Mahon sur deux canoës pour rejoindre l'Angleterre. Ils débarqueront à Eastbourne après avoir ramé pendant 30 heures et parcouru 150 km. De Gaulle et Churchill tiendront à les recevoir et à les féliciter.

"La main allemande" frappera tout au long de ces années d'occupation : la liste des massacres est longue : 45 morts à Berles-Monchel, 98 à Aubigny, 32 à Febvin-Palfart, 58 à Courrières et Oignies, 98 à Lestrem, 86 à Ascq… sans compter les déportés et les condamnés à mort.

Zone de guerre, le Nord-Pas-de-Calais-Picardie subira des bombardements de plus en plus meurtriers : priorité pour les Alliés de détruire les rampes de lancement de fusées installées à Siracourt V1, à Wizermes V2, à Mymoyecques V3, à Eperlecques et Helfaut. Priorité est donnée ensuite à la désorganisation des transports par voies ferrées : il s'agissait de ralentir l'arrivée des renforts, de stopper les trains de munitions et de bouleverser les gares de triage : Fives-Lille, Sequedin, Marquette, Wambrechies, le Sapin Vert à Tourcoing, Lille-Délivrance. Que de morts ! que de dévastations ! Jusqu'à ce coup d'audace incroyable : l'opération Jéricho : le 18 février 1944 à midi, 19 bombardiers anglais "placent" leurs bombes, "ouvrent" les murs de la prison d'Amiens et libèrent d'un coup 255 prisonniers.

Viendront les nuits des 1er, 2 et 3 juin, où la BBC diffusera ces vers de Verlaine : "Les sanglots longs… des violons… de l'automne…" Entendus par les résistants, ils savent dès lors que la libération est proche. Entendus par le centre d'écoute de la 15e Armée allemande situé à Tourcoing, les vers n'ont pas suscité de réaction, semble-t-il.

Dans la nuit du 5 juin, la BBC complétera enfin la strophe de Verlaine : "Blessent mon cœur… D'une langueur… Monotone." Cette fois, c'est clair, la Libération est en route… Mais où ?

La Libération

Le 6 juin 1944, c'est le Jour "J". Hitler et son état-major attendaient le débarquement des Alliés en baie de Somme et sur les côtes de la Manche. Ce fut la Normandie. Un million cinq cent mille hommes mettent pied à terre sur la terre de France. À la fin du mois de juillet, avec la prise de Coutances, Granville et Avranches, la bataille de Normandie est gagnée. Reste à remporter "la victoire de la France".

Dans l'ombre, les maquis de toutes obédiences mènent des opérations de harcèlement contre l'occupant et souvent gagnent de vitesse la progression des Américains et des Anglais. Rien qu'en Picardie, on retient le chiffre de 246 déraillements dont 62 en juillet-août 1944. Cela n'ira pas, hélas, sans représailles.

Pour les Alliés, le temps presse : il leur faut au plus vite passer la Seine à Rouen, libérer les côtes et les ports de la Manche et atteindre Anvers, base des sous-marins allemands et aussi les bases mobiles de lancement de V1.

Le 24 août au soir, Leclerc et ses hommes atteignent Paris. Le 26 août, le général de Gaulle descend les Champs-Élysées et fait son entrée en la cathédrale Notre-Dame de Paris pour y chanter un Te Deum.

Dès le 29 août, la 2e DB, les Américains, les Anglais, les Polonais et les Canadiens font route vers la Somme. Le 30 août, à 5 heures du matin, Amiens est libérée. Tout ira très vite avec la progression des Anglais et des Américains vers Beauvais, Compiègne, Senlis, Noyon puis Laon et Tergnier. Hélas ! alors que les armées de la Libération approchaient, un dernier train quittait la prison de Loos, emportant 1250 prisonniers vers les camps allemands. Seuls, 130 résistants en reviendront.

Libération : le 1er septembre, les Alliés sont à Arras et Douai ; le 2, ils entrent à Lens, Cambrai, Maubeuge, Saint-Amand, Tournai et Valenciennes ; le 3, Armentières, Lille et Roubaix sont libérées. Au début du mois d'octobre restait la "poche" de Dunkerque dont la population, 17 000 habitants, est évacuée. L'amiral Frisius poursuivra sa guerre avec 12 000 hommes. Il ne signera sa reddition que le 9 mai 1945. Alors seulement, Dunkerque retrouvera la liberté.

Le 1er octobre 1944, de Gaulle revient à Lille. Il y prononce un discours qui fera date :

> *"La voilà donc libérée, la chère, la vieille ville de Lille, la voilà sortie de l'océan de souffrances et d'humiliation où elle a été plongée, sans avoir jamais rien perdu de sa fierté et de sa dignité, sans avoir jamais, une seconde, failli à l'espérance...*
> *Oui, nous avons à remporter, cette fois-ci, sur nous-mêmes, la victoire de la reprise du travail, qui, seule, peut ouvrir la voie à la victoire de la reconstruction française...*
> *... une fois de plus dans notre longue et dure histoire, nous allons montrer que nous sommes la France."*

(Charles de Gaulle, *Lettres, notes et carnets*, juin 1943-mai 1945.)

1945-1990

La bataille du charbon

Dans les mines, comme partout ailleurs, la Libération, c'est la fête, endeuillée, hélas ! par les derniers massacres commis par l'occupant dans sa retraite précipitée. C'est aussi l'attente qui commence : reverra-t-on les prisonniers et les résistants disparus depuis des mois ? Où sont-ils ? Quand reviendront-ils ?

La Libération sonne également l'heure des règlements de comptes : combien de jugements sommaires, combien d'ingénieurs et de porions destitués pour avoir continué de travailler, premiers otages de l'occupant qu'ils étaient.

Pour le pays, il y a urgence. Toutes les industries ne demandent qu'à reprendre à plein, encore faut-il du charbon : le bassin du Nord-Pas-de-Calais produisait 28 millions de tonnes en 1938 et seulement 18 millions de tonnes en 1945. Il fallait relancer la production du charbon. C'était un enjeu national. Une nouvelle bataille est engagée, la bataille du charbon.

Le général de Gaulle signe, le 13 décembre 1945, une ordonnance instituant la Société des houillères nationales du Nord-Pas-de-Calais. Sur le terrain, cela signifiait que les 32 concessions exploitées par 18 compagnies sont regroupées en 6 groupes : Auchel-Bruay, Bully-Nœux, Lens-Liévin, Hénin-Liétard, Douai-Aniche, Valenciennes-Anzin. Malgré les grèves et l'épuration, malgré le départ en Pologne de plusieurs milliers de mineurs, le but affiché de produire les

100 000 tonnes par jour sera atteint et souvent dépassé grâce à la mobilisation organisée par l'appareil du Parti, la CGT et Maurice Thorez lui-même qui, dans ses discours, s'en prenait à "ceux qui s'absentent pour un oui ou pour un non... pour une simple égratignure ou pour aller au bal... On ne peut épurer pendant 107 ans et payer les porions à ne rien faire chez eux... Produire, encore produire, faire du charbon, c'est la forme la plus élevée de votre devoir de classe, de votre devoir de Français..." (in *La Grande Épopée des mineurs*).

Pour gagner ce pari, il faut embaucher des prisonniers allemands, des immigrés italiens et des Nord-Africains. En 1946, les Houillères comptaient un effectif de 207 991 mineurs. Le manque d'expérience et le manque de formation d'une part, le travail trop rapide d'autre part, causeront de nombreux accidents graves : 12 morts à Loos-en-Gohelle en 1945, 13 morts à Ostricourt en 1946, 16 morts à Sallaumines en 1948, 7 morts à Avion en 1948. Faut-il s'étonner de ces grèves dures qui marqueront les dernières semaines de l'année 1948 où l'armée intervient à coups de grenades lacrymogènes. Après 50 jours de grève, chacun reprendra le travail. Rien ne sera plus comme avant.

Pour assurer une meilleure rentabilité, il apparaît nécessaire de mettre en place de nouveaux matériels : haveuses, convoyeurs à bandes, berlines de 3 000 litres, puits agrandis et approfondis, lavoirs perfectionnés, locotracteurs, étançons, rallonges articulées et vérins hydrauliques... Malgré ces avancées techniques, il faut fermer certains puits de moins en moins rentables :

Hardinghem, Ligny-les-Aire, Auchel 7, Divion... Une fois encore, le grisou tue : 42 mineurs meurent le 27 décembre 1974 à Liévin.

Dès 1954, les rapports des géologues annonçaient une fin prochaine et inéluctable de l'expoitation charbonnière. Trop souvent, les gisements avaient été exploités dans la hâte, surtout pendant la guerre 1914-1918. D'année en année, les sondages donnaient des estimations de ressources de plus en plus maigres. Augustin Viseux recommandait, dès les années 1962-1967, de créer des industries de remplacement dans la région pour "conserver et reconvertir les meilleurs de sa jeunesse"... "La nation se devait de témoigner sa reconnaissance envers une corporation qui avait gagné la bataille du charbon pour la survie de l'ensemble du pays, et qui n'avait pas fini de compter ses morts" (A. Viseux, *Mineur de fond*).

Hélas ! l'État s'y prit trop tardivement. On ferme à Wingles en 1977, à Lens et Liévin en 1989 et la dernière gaillette est remontée le 22 décembre 1990, à la fosse d'Oignies.

> *"C'est la fin d'un gisement qui fit vivre six ou sept générations, des milliers de familles dans nos cités et les villages environnants.*
> *Les chevalements, les bâtiments des fosses arrêtées furent abattus, les puits remblayés. Je n'ai jamais voulu aller voir dynamiter le chevalement d'une fosse où j'avais peiné, où tant de camarades étaient morts sous un éboulement,*

asphyxiés, noyés ou écrasés par les berlines ou la cage, quand ils ne furent pas victimes d'une chute dans un puits, brûlés par un coup de grisou ou de poussières.... Sur chacun de ces monuments du travail des mineurs qu'étaient ces chevalements, il me semblait que c'était le souvenir de mes camarades, le souvenir de leurs souffrances que l'on faisait disparaître..."

(In *Mineur de fond.*)

"Loin du soleil aimé la pitié prend mon être,
L'ivresse ne peut vivre où la fleur ne peut naître,
Et mon cœur compatit à toutes les douleurs."

(Jules Mousseron, *Fleurs d'en Bas.*)

1950

Naissance de Télé-Lille

251 marches pour atteindre le studio de Télé-Lille ! 251 marches à monter avec le matériel de l'installation technique, les décors, les câbles et les lampes de 200 W, sans oublier les bonbonnes d'eau distillée pour le système de refroidissement... 251 marches ! Ce premier studio de Télé-Lille, 4 m sur 3, était installé au sommet du beffroi de Lille. Que de souvenirs il a laissés !

Le 25 avril 1950 à 17 heures, Monsieur le ministre Teitgen l'inaugurait, accompagné de Monsieur Gafié, maire de Lille. Choisie entre soixante autres, Nicole Gundermann serait la première speakerine. Quant à l'équipe des pionniers, ils s'appelaient Carpentier, Laffont, Vincent, Deron, Larrivière, Cotinet, Navadic... Tout était à inventer, et ils inventaient dans une délirante improvisation : les Rendez-vous du Beffroi, Visages du Nord, les variétés du vendredi et du samedi, l'art dramatique, les spectacles de marionnettes... et même la messe en direct (certains se souviennent que les bougies fondaient). Simons, avec *Les Carottes sont cuites*, et combien d'autres pièces, donnera la "note" régionale. Suivront, Adamo, Dalida, Bécaud, les reportages à Dunkerque sur les pétroliers en construction...

Ce n'est pas par hasard que Lille fut retenue pour assurer la première liaison hertzienne avec Paris. Il y avait déjà débat sur l'avenir du 405 lignes (Grande-Bretagne), le 625 lignes (Belgique et Allemagne) et le 819 lignes que proposait la France. Puisque Lille était au centre d'une région à forte densité de population, le beffroi de Lille fut jugé l'endroit idéal pour relayer les émissions de Paris. Deux stations-relais furent construites entre Lille et Paris, l'une à Villers-Cotterêts et l'autre à Sailly-Saillisel.

Pour voir le vrai lancement de la télévision sur le plan commercial, il faudra attendre le 2 juin 1953. Ce jour-là, le couronnement de la reine Elisabeth II d'Angleterre était émis en direct de Londres vers le continent européen par le relais de Lille, qui transmettait vers la tour Eiffel et vers la Belgique et l'Allemagne. Lille se trouvait ainsi au centre du système Eurovision. Fin 1958, plus de 200 000 téléviseurs étaient installés chez nous !

Nouveau pari technique en 1958-1959 puisque, sur le site de Bouvigny on assemble les éléments d'un pylône de 305 m de hauteur, pesant plus de 400 tonnes, maintenu debout grâce à des haubans de 8 cm de diamètre. Bouvigny, assure la diffusion des programmes de télévision sur le Nord-Pas-de-Calais : c'est un vrai parapluie d'ondes qui se répand à plus de 100 km à la ronde.

Achille Larrivière et Louis Gamez se souviennent de ces premières années. "C'était le règne de la passion et de l'artisanat. Il fallait faire de l'image, coûte que coûte, pour la plus grande satisfaction du téléspectateur... L'imagination était au pouvoir. C'était le système D. À l'heure de l'image électronique, on se permettrait de sourire en imaginant un électricien jouant du ventilateur pour agiter le drapeau du générique : l'illusion était parfaite. Et tout le monde était content !"

1954

L'autoroute A 1

Qui donc a osé dire : "Pourquoi construire une autoroute entre Paris et Lille, puisqu'il n'y a que des champs ?" Aujourd'hui, en moyenne, 50 600 véhicules par jour empruntent l'axe qui assure la liaison la plus fréquentée entre l'Europe du Nord et l'Europe du Sud.

Les travaux ont commencé petitement, la liaison Lille-Carvin a été inaugurée en décembre 1954, puis la section Carvin-Fresnes-lez-Montauban, près d'Arras a été terminée en avril 1958. Dès la première année de fonctionnement, on a vu le trafic passer de 5 500 à 15 000 véhicules par jour. Il devint ensuite évident qu'une extraordinaire interaction s'établissait entre la connurbation Lille-Roubaix-Tourcoing, et Arras, Lens et Douai.

"Le chantier du siècle", disait-on. C'est vrai que les bulldozers et les scrappers n'étaient pas nombreux à l'époque. Plusieurs fois, les travaux furent ralentis lorsque le chantier traversait les zones de combats de la guerre 1914-1918 : dépôts de munitions de tous calibres abandonnés ou oubliés, trous, sapes, tranchées et galeries, jusqu'à un hôpital militaire souterrain ignoré de tous. En 1969, on pouvait enfin rouler de Lille à Paris sur l'autoroute A 1 et même, l'année suivante, aller de Lille à Marseille sans quitter l'autoroute.

Certes, le tracé de l'A 1 a parfois bousculé les destins et les paysages, il n'en reste pas moins que sa mise en service a contribué pour une large part à la réalisation d'un développement économique qu'on osait à peine imaginer il y a un demi-siècle ! Venus de Norvège, Suède, Finlande, Danemark, Allemagne, Angleterre, Hollande et Belgique, de la Pologne et de la Russie, un formidable trafic s'écoule vers Paris, l'Italie, l'Espagne et le Portugal.

L'autoroute doit-elle précéder le progrès ou l'attendre ? Une chose est certaine, l'ouverture de l'autoroute A 1 a apporté une formidable bouffée d'oxygène à nos départements du Nord-Pas-de-Calais-Picardie.

1964

La sidérurgie sur l'eau

Il a suffi de trois décennies pour voir s'effondrer l'un après l'autre les trois piliers mis en place au XIXe siècle, pour assurer le développement spectaculaire de l'économie régionale : le charbon, le textile et la sidérurgie. Ils connaîtront en quelques années des crises majeures qui marqueront à jamais les mémoires désillusionnées. La fermeture progressive des puits de mine posa un grave problème aux industries sidérurgiques en place dans le Valenciennois, le Douaisis, le Béthunois et la Région lilloise. Certes, le canal à grand gabarit Dunkerque-Valenciennes-Denain a permis pendant quelques années d'amener sur site du minerai acheté en Australie ou aux États-Unis. Faudrait-il en plus importer et transporter le charbon ?

La crise économique était inévitable. Après la fermeture de Trith tombe l'annonce de la fermeture de Louvroil en 1977 (3 000 emplois) et en 1978 celle de Denain (5 000 emplois supprimés et 15 000 à terme). À Denain, c'est l'émeute. Pour la région, ce sont les années noires. Selon l'INSEE, le Nord a perdu 90 000 postes de travail de 1975 à 1979. La décision fut donc prise de construire à Dunkerque un port minéralier et charbonnier, sur des terrains conquis sur la mer. Usinor a été la pièce maîtresse de cette renaissance régionale, en édifiant à Dunkerque “la sidérurgie sur l'eau”.

En premier lieu, trouver des terrains sur la côte et les aménager : 450 ha furent retenus dont 90 ha gagnés sur la mer. Ensuite créer des bassins maritimes, des digues et enfin implanter les sites industriels. Aujourd'hui, le centre sidérurgique de Dunkerque est un des plus importants en Europe.

Le port ouest, construit dans les années 1970 occupe la moitié du front de mer du département. Il peut recevoir des pétroliers de 300 000 tonnes et les plus gros minéraliers du monde. À l'usine sidérurgique Sollac, 4 hauts fourneaux, de 9,50 m à 14 m de diamètre, produisent 5 millions de tonnes d'acier par an. Après la coulée suivent le laminoir à chaud et à froid, la fabrication des tubes, la forge et les aciers spéciaux (plus de 150 aciers spéciaux : électro-ménager, bâtiment, inox, carrosserie de voiture, matériel ferroviaire, roues des trains adaptées au climat, à la vitesse et à la charge, roulements à billes, boîtes de Coca-Cola…).

De Dunkerque à Gravelines, sur 17 km, le complexe sidérurgique étend ses ramifications vers Loon-Plage, Mardyck, Grande-Synthe, Fort-Mardyck, Saint-Pol-sur-Mer. Tous les grands noms de la sidérurgie veulent y être présents.

Grâce à cet audacieux projet d'Usinor, plus de 10 000 emplois ont été créés, sans compter la remontée spectaculaire du port et des industries connexes. Dunkerque et le Dunkerquois ont retrouvé dans cette reconversion le chemin du redressement. Les derniers gros investissements concernent le terminal gazier de Loon-Plage capable de traiter 50 millions de mètres cubes par jour de gaz naturel venu de Norvège.

Voilà donc Dunkerque promue nouveau Pôle de

développement de l'industrie lourde et port national. En 1969, la Communauté urbaine de Dunkerque est créée, suivie de la fusion dans "un grand Dunkerque" de Malo-les-Bains en 1970, de Rosendaël et Petite-Synthe en 1971 et Mardyck en 1980. Un Pôle universitaire du littoral offre une formation moderne et adaptée aux exigences futures du développement régional. L'extraordinaire vitalité du musée des Beaux-Arts et du musée portuaire témoigne, elle aussi, de ce nouveau regard porté sur la résurrection de la cité de Jean Bart.

En 1968, l'Agence d'urbanisme se mettait à l'œuvre et publiait deux ans plus tard son Livre blanc : Dunkerque 2000.

Où sont-ils aujourd'hui, ceux qui criaient à l'utopie ?

1966

La Communauté urbaine de Lille

La loi du 31 décembre 1966 a créé la Communauté urbaine de Lille. Elle rassemblait en 1976, 87 communes sur un territoire de 64 246 ha. Le siège administratif de la Communauté a été construit en bordure de Lille, à La Madeleine, en bas de la rue du Ballon, là même où, le 26 juin 1785, Blanchard prenait son envol pour un "voyage record" de 500 km parcourus en 7 heures en ballon. Etait-ce un signe prémonitoire pour la Communauté urbaine de Lille ? Elle aussi y a pris son envol vers le XXIe siècle !

L'idée du regroupement des communes s'imposait à l'évidence. En 1965, l'exemple est venu de la fusion des Chambres de commerce de Lille, Roubaix et Tourcoing, qui étendait sa compétence sur 120 communes. Et pourtant les oppositions se manifesteront avec force lors de l'annonce de la loi du 31 décembre 1966. Georges Sueur, lorsqu'il publiera, en 1971, son livre *Lille, Roubaix, Tourcoing, métropole en miettes*, provoquera une formidable et salutaire tempête communautaire et médiatique.

Voilà plus de 30 ans qu'elle fonctionne : répond-t-elle aujourd'hui aux attentes des premiers jours ? La commune Centre Lille compte 172 000 habitants, la conurbation Lille-Roubaix-Tourcoing, 950 000 habitants, et la Communauté urbaine, 1 100 000 habitants. Elle regroupe 87 communes. Tout le monde est d'accord pour constater que dans l'environnement économique actuel, Lille seule, avec ses 172 000 habitants ne peut décider de l'avenir, ni Tourcoing, ni Roubaix, ni Villeneuve-d'Ascq, ni Warneton, ni Lesquin, ni Cysoing… Si chacun tentait seul sa course, l'essoufflement s'annoncerait vite. Mais la Communauté urbaine, dont la zone d'influence déborde vers la Belgique au nord, et vers le Pas-de-Calais au sud, concerne finalement 2 millions d'habitants. Cette métropole située au cœur stratégique des communications de l'Europe du nord a tout à espérer de l'avenir… à condition que le pouvoir ne soit pas émietté.

“La Communauté urbaine est devenue une réalité incontournable, un outil dont plus aucun maire ne voudrait se passer. Les 87 communes qui la composent aujourd'hui ont appris à vivre ensemble et se sont développées en unissant leurs efforts. Aujourd'hui, Lille Métropole s'affirme comme une métropole européenne qui a de solides atouts à faire valoir à l'aube du XXIe siècle." (Pierre Mauroy, *La Métropole rassemblée*, Fayard, 1998).

1968

Le Parc naturel régional de la Scarpe et de l'Escaut

Bien avant les parcs naturels du Ballon des Vosges, de la Chevreuse, du Mont Pilat, du Morvan, de l'Armorique ou de la Forêt d'Orient, le premier parc naturel régional créé en France fut, en 1968, celui de la Scarpe et de l'Escaut. Il assure une continuité parfaite et transfrontalière avec le Parc naturel des plaines de l'Escaut en Belgique.

Côté français, il comprend une surface totale de 43 000 ha dont 4 400 ha de forêt domaniale et une zone périphérique de champs cultivés et de bosquets. Entre Flines-les-Râches et Condé-sur-l'Escaut, entre Saint-Amand-les-Eaux et Wallers-Arenberg, c'est tout un domaine qui est réservé à la découverte du patrimoine et à l'éducation à l'environnement, à la protection de la ressource en eau, au mariage du développement local et de l'environnement, à la promotion d'une agriculture respectueuse de la flore, de la faune et du paysage rural. Témoins d'une histoire riche, de nombreux vestiges du passé sont également protégés : moulins à eau, fortifications, restes des anciennes abbayes et même le patrimoine minier.

Cinquante-deux communes ont signé la charte des Parcs naturels et s'engagent à accueillir le public, à préserver le patrimoine naturel et culturel et à promouvoir les activités économiques et sociales. Cent soixante mille habitants deviennent ainsi les acteurs de la réussite de ce projet qui pouvait paraître insensé il y a encore un demi-siècle ! Ils sont devenus les éco-citoyens chargés d'accueillir, d'informer et de maintenir vivants un pays et son paysage, sa flore et sa faune, ses traditions et son folklore.

Avez-vous jamais passé une journée d'observation à la mare à Goriaux, entre Valenciennes et Lille ? Formés à la suite de l'effondrement minier du site d'extraction du charbon à la fosse d'Arenberg, les 119 ha d'eau sont devenus l'observatoire idéal pour examiner tout à loisir le grèbe, le cormoran, le cygne, les oies et les canards, la foulque et la bécassine, la linotte et le martin-pêcheur… et bien d'autres. Le promeneur choisira les chemins de la forêt de Flines, de Marchiennes, de Saint-Amand et de Bon-Secours : il découvrira une flore étonnamment diversifiée. Tout au long du parcours, n'omettez pas d'admirer en connaisseur la bleue du Nord : c'est une race de vaches laitières reconnue depuis le xviie siècle, pour la qualité de sa viande et de son lait. Trois mille vaches profitent de nos pâturages verdoyants.

Poumon vert au cœur d'une région à forte densité de population, le Parc naturel régional de la Scarpe et de l'Escaut maintient aussi une garantie de qualité et de quantité du patrimoine "eau". On oublie ou on ignore trop souvent que la question des eaux est déjà la priorité n° 1 de demain, d'autant que notre ressource en eau dépend à 97 % des nappes souterraines.

Rendez-vous au parc !

1971

Renault à Douai

Faut-il rappeler que la guerre 1914-1918 a vu l'essentiel des outils de la production industrielle détruit sur place ou emporté par l'occupant ? Lorsque, au lendemain de la guerre, il a fallu décider d'une orientation nouvelle de la production, les industries les plus en pointe furent éloignées de la frontière nord, si bien que les constructions mécaniques ou électriques, l'aéronautique et l'automobile se sont repliées essentiellement dans la Région parisienne, le Nord-Pas-de-Calais conservant les activités et les structures héritées du XIXe siècle. Plus encore, la nationalisation des Houillères et l'aide de l'État dans la formation du groupe Usinor n'ont fait que confirmer cette tendance et figer une situation qui semblait devoir durer l'éternité entière.

Premier changement de cap en 1971, lorsque la Régie Renault annonce sa prochaine implantation à Douai. C'était un défi lancé à la région et à ses générations de mineurs et de métallos : s'adapteraient-ils à l'usine moderne hyperrobotisée ? La réponse est donnée par les résultats : sorties des chaînes de Douai, les vedettes de Renault – R 5, R 9, R 11, R 19, Mégane, Scénic.

Le second défi est "officiel" puisque en janvier 1979, Raymond Barre, alors Premier ministre, annonce la construction, près de Valenciennes d'une usine de boîtes de vitesse par Peugeot. Sortirait-t-on enfin du tunnel ?

En 1994, un accord PSA-Fiat donne naissance à Sevel-Nord à Hourdain à une usine d'assemblage de monospaces

Plus récemment, le 9 décembre 1997, le président Okuda annonçait au Premier ministre à Matignon que Toyota ouvrirait sur le site d'Onnaing, près de Valenciennes, la seconde de ses usines en Europe (on annonce 150 000 Funtime par an).

Avec plus de 40 000 emplois dans l'industrie automobile, on peut dire que la région a pris la troisième place parmi les régions automobiles françaises.

1980

La centrale nucléaire de Gravelines

Lorsque Gravelines fait la fête, les cortèges envahissent la ville. Les géants que l'on promène ne rappellent en rien le comte de Flandre Thierry d'Alsace qui, le premier, protégea son petit port, ni Philippe Auguste, ni François Ier, ni Henri VIII, ni Charles Quint, ni même Louis XIV et Vauban, ses illustres visiteurs, non, on promène en grande pompe Caroline, Jeffe, Maître Pierre, Bidasse, Pétronille, Rose-Marie... Le grand oublié, c'est le Zouave du pont de l'Alma, sans doute le plus célèbre des enfants du pays.

"Sans Gravelines il n'y aurait peut-être pas eu Albert Denvers tel que nous le connaissons. Mais... sans Albert Denvers, il n'y aurait pas la ville de Gravelines d'aujourd'hui." (Discours de M. Le Franc.) Il est vrai qu'Albert Denvers fut un maire bâtisseur. La liste de son œuvre bâtie serait longue, des douches municipales aux écoles, au stade, aux aires sportives, station d'épuration, espaces verts, centre d'art, digue, appontements pour la plaisance, logements sociaux, etc. La décision capitale fut d'accepter le choix du nucléaire. Et ce ne fut pas facile ! Les militants se souviennent encore de cette réunion contradictoire que présidait Albert Denvers : les trois opposants au site nucléaire étaient son directeur de Cabinet, son attaché de presse et le directeur de l'Agence d'urbanisme de Dunkerque ! "Faire plus que dire", pensait sans doute Albert Denvers.

Le site de Gravelines fut retenu par les Pouvoirs publics en 1973 pour y construire un centre de production d'électricité, alimenté au fioul ou au charbon, destiné à assurer l'indépendance énergétique du Nord-Pas-de-Calais. Ce ne sera qu'en 1974 que l'on prononcera le mot "nucléaire" et, en même temps, on apprit que les travaux viendraient en prolongement de l'extension du port de Dunkerque. Quant au conseil municipal, il n'eut jamais à en débattre puisqu'il fut mis devant un fait accompli. Certes, il y eut un "collectif régional antinucléaire", des défilés et des lettres de protestation (3 000) et les socialistes, eux aussi, défilèrent dans les rues de Dunkerque.

Le premier réacteur nucléaire fut lancé en 1980 et le "choc pétrolier" fit taire toutes les hésitations, si bien que le 18 octobre 1985, les six unités tournaient à pleine puissance : 5 460 MW. D'un coup, Gravelines devenait le site nucléaire n° 1 en Europe, avec une production de 30 à 36 milliards de kW/h par an, soit 10 % de la production française d'électricité.

Devinez d'où tombe aujourd'hui l'extraordinaire manne qui a permis la construction du centre socioculturel, la restauration du château-arsenal et du circuit des fortifications, la mise en place du superbe musée du Dessin et de l'Estampe originale, de la médiathèque, etc. ? Qui est contre le nucléaire aujourd'hui à Gravelines ?

1983

Inauguration du VAL

Ne croyez surtout pas que le petit Robert Gabillard usait ses genoux à courir derrière son train électrique dans les pièces de la maison familiale. Non, tout jeune, il était fasciné par ces lampes étranges qui animaient la TSF, ces lumières qui semblaient palpiter au rythme des sons retransmis par les paroles ou la musique. "Dis papa, pourquoi cette lumière qui tremble avec la parole ou la musique ?" Le père Gabillard de lui expliquer les recherches et les découvertes d'Édouard Branly, son "cohéreur" à limaille qui donnera naissance à la télégraphie sans fil... C'est ainsi, peut-être, que l'on prend le virus de la science.

On retrouve donc Robert Gabillard, non pas dans les services de recherche de la SNCF ou de la RATP mais dans les laboratoires de la rue d'Ulm et plus tard à la Faculté des sciences à Lille. Dans la plus grande discrétion, il met au point des applications que l'on retrouvera dans le scanner médical, le repérage des voiliers par satellite, il participe à la réalisation de l'accélérateur de particules de Genève, à l'utilisation des ondes radioélectriques pour la détection des cavités sous terre... Par hasard, il rencontre Jean-Claude Ralite, en charge de l'aménagement de Villeneuve-d'Ascq, qui lui fait part de ses soucis pour la mise au point d'un projet de transport public automatique entre la ville nouvelle et Lille : impossible, lui a-t-on dit.

Il lui suffit d'entendre "impossible" pour qu'il réponde : "On verra bien !" Le problème à résoudre était de taille : créer un moyen de transport public sans danger, c'était d'abord respecter les vitesses limitées, créer un système anti-collision, trouver un fonctionnement automatique des portes assurant l'embarquement et le débarquement des voyageurs en station en toute sécurité. "Sécurité" est donc le maître mot qui a présidé aux recherches. Cette sécurité absolue ne pouvait que passer par l'automatisme absolu.

Quelle serait l'entreprise qui oserait investir dans un tel projet ? Construire et mettre en service une rame de métro sans pilote ? Qui monterait à bord d'un tel train "aveugle" ? Arthur Notebart, à l'époque président de la Communauté urbaine de Lille, prit le projet en main et sauta tous les obstacles, à commencer par les élus qui étaient contre (et qui sont pour aujourd'hui). Les laboratoires du professeur Gabillard à Lille I assurèrent la recherche en liaison avec Matra pour la réalisation.

Miracle ! il tourne, ce métro impossible. Il tourne depuis 1983 à la satisfaction de tous, reliant comme prévu Villeneuve-d'Ascq à Lille et au CHR. Plus discutable et combien discutée, la seconde ligne de Pérenchies, Lomme à la Porte des Postes, à la Mairie de Lille et aux Gares. Dernière ligne, enfin, de Lille vers Roubaix et Tourcoing… et pourquoi pas, peut-être, la Grand-Place de Mouscron, en Belgique !

Le VAL (véhicule automatique léger) est une réussite technique, une prouesse exemplaire adoptée par Toulouse, Orly, Chicago, Jacksonville, Taipei, Le Caire, Singapour… Pour bien d'autres villes à travers le monde, c'est un rêve !

1984

Centre historique minier à Lewarde

Entre Douai et Cambrai, Lewarde apparaît au bout de la départementale 135 comme un îlot de verdure protégé, loin des bruits de la ville et des flots de voitures. C'est ici qu'en 1931, fut construite la fosse Delloye qui fonctionna jusqu'en 1971. Plus de 1 000 mineurs y travaillaient et sortaient, en moyenne, 1 000 tonnes de charbon par jour. Peu après la fermeture, les Houillères du bassin du Nord-Pas-de-Calais décident de conserver le site afin de le transformer en musée : restait à mettre les bâtiments en état d'accueillir le public et de rassembler le matériel minier et les machines.

Très rapidement aussi apparaîtra la nécessité de sauver les archives, documents sur papier, photos et films, et d'organiser l'Association du Centre historique minier qui veillerait sur ce patrimoine et en assurerait la présentation au public. Heureuse décision puisque Lewarde a réuni un matériel technique, scientifique et historique très important : plus de 1 000 films, 500 000 photos, plans de recherches géologiques, affiches, journaux...

La grande originalité de ce musée de la Mine, qui a déjà reçu plus de deux millions de visiteurs, c'est l'accueil assuré par les "anciens". Lorsqu'ils présentent la lampe du mineur, lorsqu'ils racontent leur embauche à 14 ans, leur première descente au fond, la mort du père ou du grand-père, ils parlent "vrai". Ces "gueules noires" racontent mieux que personne qu'une lampe qui manquait à la lampisterie, c'était une vie en danger ou déjà une vie perdue.

Qui mieux que ces "anciens" (ils sont une bonne vingtaine), peut conduire ces pèlerins à la découverte d'un monde inconnu, celui de la mine, pour présenter les bureaux de l'administration du siège, la salle des bains-douches, la salle des "pendus" et la lampisterie, pour accompagner ces citadins sur le train et les conduire vers la descente (simulée) à 500 m de profondeur et là, parcourir avec eux les 450 m de galeries et y découvrir l'évolution des techniques d'extraction du charbon. "Parcours initiatique", dit-on. Pourquoi pas ?

Le grand mérite du Centre historique minier de Lewarde c'est d'avoir fait de la fosse Delloye un patrimoine sauvé de la destruction et de l'oubli. Tout au long du Bassin du Nord-Pas-de-Calais, d'autres sites sont aussi à découvrir : Auchel, Bruay, Nœux, Lens-en-Gohelle, Harnes, Oignies, Rieulay, Arenberg, Valenciennes, Condé. Les chevalements, derniers témoins du Bassin minier, méritent notre respect tout autant que les clochers, les beffrois et les moulins. Serait-il permis d'oublier les mineurs qui travaillèrent ici pendant deux siècles et demi ?

1991

Nausicaà à Boulogne-sur-Mer

Nom étrange importé sur les rives de la Manche. Nausicaà ouvre le rêve sur l'histoire de la fille du roi Alcinoos, telle qu'elle nous est contée dans l'*Odyssée*. Nausicaà réveille Ulysse jeté sur le rivage par la tempête. C'est elle qui présente à son père ce héros inconnu… Hélas, il est déjà lié à Pénélope. Pour Nausicaà, Ulysse restera à jamais un souvenir, un rêve.

À Boulogne-sur-Mer, Nausicaà, c'est un lieu unique, comme un navire jeté sur le sable, entre terre et mer. Au loin, les collines du Boulonnais et les remparts de la ville haute élevés à l'époque des empereurs romains, le château des Comtes de Boulogne et l'incroyable coupole de la basilique Notre-Dame. Plus proche, la ville basse et son port où vont et viennent, au gré de la marée, les bateaux de pêche et les navires qui assurent les liaisons avec l'Angleterre. Quel décor pour Nausicaà !

Plus qu'un aquarium géant, Nausicaà propose au visiteur une véritable plongée en mer pour y découvrir la vie du monde marin et ses secrets, pour comprendre surtout l'irruption de l'homme dans ce monde mouvant et fragile dont dépend l'avenir de notre planète Terre. Ce "voyage en mer" se fait progressivement tout au long d'un parcours qui mobilise tour à tour les cinq sens.

C'est l'entrée dans le monde du plancton, première chaîne alimentaire, puis la descente vers les abysses où les animaux marins se font de plus en plus rares et étranges, enfin l'appel des grandes profondeurs : que se passe-t-il à -3 000 m, à -4 000 m, là où jaillissent les sources d'eau chaude ? Chaque pas conduit vers une question, un mystère.

Vacances éphémères près d'un lagon corallien où évoluent dans leur milieu naturel plus de mille poissons tropicaux, la musique elle-même semble voguer au gré des vagues ! Invitation, plus loin, à visiter les côtes méditerranéennes et, pour terminer, les rivages de la mer du Nord et du Boulonnais : la vie grouille partout.

Montez à bord du chalutier et vivez une tempête dans la nuit, tandis que les hommes remontent les filets pleins à craquer… Rien n'est oublié à Nausicaà : le visiteur, quel que soit son âge, se voit confronté à ce monde vivant dont il ne connaît rien, ou si peu ! Dernier choc : le monde des requins. Personne n'oubliera la ronde des requins et ce regard qu'ils portent sur ces drôles de petites choses que nous sommes !

L'Unesco a couronné cette réalisation extraordinaire qui réussit à transformer le visiteur en acteur dans la lutte pour la préservation des sites et des espèces. Nausicaà, c'est 4 millions de litres d'eau de mer, 36 aquariums et plus de 10 000 animaux. C'est surtout la réalisation d'un rêve, celui de faire de tout visiteur, un amoureux de la mer.

1992

L'Historial de la Grande Guerre à Péronne

En 1986, le Conseil général de la Somme décide la création d'un musée sur la Première Guerre mondiale : l'Historial de la Grande Guerre. C'était manifester la volonté de rendre hommage à ces 1 350 000 hommes venus de 40 nations et dont les sépultures reposent en terre de Picardie, réunies en plus de 450 cimetières militaires. Hommage rendu aussi aux “civils”, ceux de l'arrière, ballottés au gré des batailles, ceux qui ont tout perdu, maisons, terres et biens. Plus de 451 000 ha dévastés, des kilomètres de tranchées à remettre en état et 36 000 maisons détruites.

Pour abriter l'Historial, un lieu chargé d'histoire est retenu : le château de Péronne, une forteresse dont les éléments principaux ont été construits à l'époque de Philippe Auguste. C'est dans ce château qu'eut lieu la rencontre mouvementée entre Louis XI et Charles le Téméraire. Remis en état et adapté à sa nouvelle fonction, l'Historial de la Grande Guerre fut inauguré en 1992.

Plus qu'une simple exposition de documents photographiques, cartes et films, plus que l'évocation des faits et des hommes, chacune des salles essaie d'expliquer comment et pourquoi un tel conflit a pu jeter les nations les unes contre les autres, sans pour autant réveiller les antagonismes qui ont servi de détonateurs à l'époque. Les trois grandes puissances économiques européennes, l'Allemagne, la Grande-Bretagne et la France, n'ont pas de raisons évidentes de se jeter dans un telle aventure. Mais, au lendemain de l'assassinat de l'archiduc François-Ferdinand à Sarajevo, ce sera le jeu des alliances qui entraînera les uns et les autres dans un conflit mondial aux conséquences imprévisibles.

"Représenter" une telle guerre, les pouvoirs en place de part et d'autre, les sociétés et leurs particularismes, les puissances économiques et militaires confrontées, c'était un vrai défi posé à l'équipe des historiens européens en charge de la réalisation. De salle en salle, la réponse est représentée dans la sobriété : la mobilisation, l'invasion, l'exode des populations, la vie dans les territoires occupés, la survie des blessés, la mort, et aussi l'évolution des technologies de la guerre, l'homme dans la guerre, héros et victimes... jusqu'à la victoire, les défilés et la signature des traités de paix.

"Jamais plus !" proclamera-t-on. Jamais plus ?

Autour de Péronne, nombreux sont les lieux de mémoire : le Circuit du souvenir, balisé aux couleurs du coquelicot, permet de visiter les principaux sites de la bataille de la Somme.

1993

Ouverture des frontières, ouverture de l'autoroute A 16

Depuis le 1er janvier 1993, la mise en place du grand marché intérieur permet la libre circulation des personnes, des marchandises, des capitaux et des services entre les quinze États membres de la Communauté européenne : Allemagne, Autriche, Belgique, Danemark, Espagne, Finlande, France, Grèce, Irlande, Italie, Luxembourg, Pays-Bas, Portugal, Royaume-Uni, Suède.

Belle coïncidence, la même année, l'ouverture de l'autoroute A 16 assure la jonction avec l'autoroute A 18 et A 10 en Belgique, vers Ostende, Gand, Bruxelles et Liège. Voilà donc Amiens, Abbeville, Boulogne, Calais et Dunkerque reliées entre elles par l'autoroute de la côte et ouvertes vers l'arrière-pays avec les autoroutes A 25 Dunkerque-Lille, A 26 Calais-Arras-Saint-Quentin, et bientôt, la A 29 Amiens-Saint-Quentin.

"Désenclaver" était le maître-mot invoqué autrefois. Les portes, aujourd'hui, sont ouvertes sur l'Europe et vers la Grande-Bretagne avec le tunnel sous la Manche. Verra-t-on enfin les trois sœurs – Boulogne, Calais, Dunkerque –, arranger leurs histoires de famille et travailler ensemble ? Depuis des années, rapports, livres et journaux appellent au rapprochement, à l'entente et à la solidarité. N'a-t-on pas investi plus de milliards pour l'amélioration des trois ports que pour le tunnel sous la Manche ? (In P. Garcette, *Notre région veut-elle gagner ?*)

Il y a dix ans déjà, lorsqu'elle publiait *La Région, territoires politiques*, B. Giblin-Delvallet appelait les élus à "harmoniser les activités, régler les rivalités et assumer la gestion". Un seul moyen affirmait-elle, la "péréquation des ressources entre les trois ports, pour éviter qu'une concurrence mal maîtrisée ne provoque un suréquipement et une dérive des coûts". Il faudrait jouer la "concertation… et surtout la responsabilité directe".

Plus récemment, Jean-Claude Brancart écrivait : "Dans cette région du Nord-Pas-de-Calais, on reste, dans certains domaines, affreusement conservateur, scandaleusement mal informés et sournoisement attentistes car, passer par Zeebrugge, Anvers ou Rotterdam n'a plus d'autre justification économique que celle d'habitudes non remise en cause… À l'évidence, l'avenir du littoral passe par un rapprochement entre les trois ports de Boulogne, Calais, Dunkerque mais entre trois ports dynamisés par toute la région Nord-Pas-de-Calais et son tissu industriel…" (*Autrement dit*, 20 octobre 1995.)

Verra-t-on enfin les trois sœurs entrer dans le XXIe siècle avec un projet commun ? L'autoroute, en abrégeant les distances, changera-t-elle les mentalités ?

1993

TGV Paris-Lille et Euralille

Peut-on faire un parallèle entre ce qui s'est passé le 14 juin 1846 lorsque, pour la première fois, un train arrivait de Paris à Lille et le 23 mai 1993, lorsque le TGV entra en gare de Lille ? Sur 330 km, la voie ferrée avait ouvert une nouvelle artère à l'économie régionale, encore fallait-il accepter le progrès et adapter la ville à accueillir les voyageurs et les transports de marchandises. Il a suffi de quatre années de travaux pour ouvrir la voie ferrée au passage des trains, quatre années pour convaincre. Le délire des discours de juin 1846 dit assez l'état des esprits : "partout les populations se réjouiront en voyant se développer devant elles la prospérité et le bien-être dus aux chemins de fer". Les militaires finiront par ouvrir une petite porte dans les remparts, comme il faudra bien construire une gare pour les voyageurs et une autre pour les marchandises, enfin, dès 1869, on dessinait le projet de percement de la rue de la Gare (devenue la rue Faidherbe).

Mêmes questions posées autour du projet TGV Paris-Lille et son extension vers Londres, Bruxelles-Amsterdam et Bruxelles-Cologne. Le TGV Nord-Europe place Lille au centre d'interconnexion des grandes métropoles du nord de l'Europe. Il ne pouvait être question d'envisager que les TGV terminent leur course sur les tampons du terminus de la gare de Lille. Où donc fallait-il situer la nouvelle gare ? au centre de Lille ou, comme le proposaient certains, à l'aéroport de Lille-Lesquin ?

Parmi tous les projets envisagés, la proposition de Rem Koolhaas emporta les décisions. Pierre Mauroy et Jean-Paul Baïetto voulaient donner une nouvelle chance à la ville. La réponse de Rem Koolhaas était de respecter la ville ancienne, peu touchée par l'architecture du XXe siècle, il a donc soudé en parallèle les voies de communication existantes, métro et routes, avec le nouveau tracé du TGV, ensuite il a voulu ouvrir la gare moderne sur le paysage de la ville ancienne, et sur et autour de cette gare nouvelle, construire les immeubles du futur. Euralille, trait d'union entre l'ancienne gare et la nouvelle, contribue à dynamiser l'image de la ville, ce qui n'a empêché en rien la réhabilitation du Vieux-Lille, au contraire !

Il faut aussi rappeler que, avant même le commencement des travaux qui allaient ouvrir, de Paris à Fréthun, un chantier de 450 km, décision fut prise d'offrir aux géologues et aux archéologues la possibilité de prospecter et de fouiller sur les sites qu'ils choisiraient. C'est ainsi que fut retrouvée tout au long de ces fouilles l'histoire des sols et du climat et l'histoire des hommes qui peuplaient nos régions depuis 300 000 ans.

À plus de 300 km/h, le voyageur attentif peut donc rêver en toute quiétude au Paléolithique, à l'âge de la pierre, du bronze et du fer, à l'époque gallo-romaine comme au Moyen Âge…

(Cf. Henri de Saint-Blanquat, *Archéo-TGV*, Casterman.)

1994

Ouverture du tunnel sous la Manche

Étonnante gravure datée de 1803 où l'on voit la Grande Armée du camp de Boulogne partir à l'assaut de l'Angleterre en bateau, en ballon et par un tunnel, un incroyable tunnel qui n'a jamais existé mais qui jouera plus tard un rôle important.

Tous les rêves sont permis à partir du moment où un tunnel est projeté sous l'embouchure de la Tamise, surtout que bientôt le chemin de fer permettra une traversée rapide. Thomé de Gamond, le premier, donnera une base scientifique à ces rêves d'un tunnel sous la Manche en établissant lui-même une carte des fonds marins et une carte géologique du massif submergé entre l'Angleterre et la France.

Les ingénieurs se lancent dans les projets les plus fous : un tunnel reposant sur le fond de la mer, un pont sur le détroit, un bac flottant entre deux digues, un isthme de Douvres reliant les deux territoires par voie d'enrochement. Le XIXe siècle se lançait partout dans les entreprises les plus incroyables : à Modane, on creuse le Tunnel du Mont Cenis (1861-1871) ; à Londres, on creuse le premier métro du monde (1863) ; le canal de Suez est inauguré en 1869. À Paris, en 1875, l'Association française du tunnel sous-marin offre 400 parts pour commencer les travaux d'exploration et l'Assemblée nationale vote la loi de concession. En 1876, on creuse à Sangatte et on procède à 6 000 sondages en mer. En 1881, les perforatrices avancent de part et d'autre de la Manche et le 10 décembre 1881, l'Angleterre prend peur : "...et si les Français préparaient un coup de force contre l'Angleterre..." ? Les travaux sont arrêtés au mois d'août 1882.

À Paris, on commence à creuser le métropolitain Vincennes-Maillot (1900). Le tunnel sous la Manche dormira dans les cartons !

Lorsque le monoplan de Blériot atterrit à Douvres (1909), les états-majors britanniques, comme tous les militaires de l'époque, comprennent que désormais le "danger" pourrait bien venir du ciel. Inévitablement, le projet d'un tunnel sous la Manche refait surface et, dès lors, deux écoles s'opposeront : partisans du pont contre partisans du tunnel.

En 1973, les travaux reprennent à Sangatte. Georges Pompidou et Michel Jobert visitent le chantier accompagnés d'Edward Heath : le tunnel avance de 400 m côté anglais, 300 m côté français. Mais chacun fait ses comptes et trouve que c'est trop cher. Les députés anglais votent contre la continuation des travaux.

À Bruxelles, le 8 mai 1981, le Parlement européen réclame solennellement la réalisation du tunnel sous la Manche. En 1984, Margaret Thatcher se montre *very exiting* par le projet, à condition de ne pas y mettre une seule livre sterling. Après l'appel d'offres international, quatre projets entrent en compétition : le double tunnel ferroviaire foré dans lequel circulent des rames-navettes pour les véhicules automobiles est retenu. L'accord est signé à l'hôtel de ville de Lille le 20 janvier 1986. Le groupe

EUROTUNNEL est constitué au mois d'août et les travaux commencent côté anglais le 29 novembre 1987. La jonction historique entre l'Angleterre et la France a lieu le 1er décembre 1990 à 12 h 12 : Philippe Cozette et Graham Fagg, Français et Anglais, se serrent la main !

Le 6 mai 1994, à Coquelles, François Mitterrand et Elisabeth II d'Angleterre coupent le ruban en dentelle de Calais avant d'embarquer dans la Rolls-Royce royale pour Cheriton. Ils concrétisaient enfin la volonté des deux gouvernements de réaliser ce lien fixe dont on parlait depuis deux siècles.

Voilà la preuve que, lorsque toutes les volontés s'unissent, qu'elles soient nationales, régionales ou locales, on est capable non seulement de "soulever des montagnes" mais aussi de creuser un tunnel sous la Manche.

1999

La baie de Somme parmi "les plus belles baies du monde"

Les trois mille hectares de la baie de Somme sont inscrits comme réserve naturelle depuis le 23 mars 1994. L'estuaire de la Somme est connu de tous les spécialistes comme relais privilégié pour les oiseaux migrateurs et zone de repos et de reproduction pour les phoques et les veaux marins. Le Parc ornithologique du Marquenterre, 250 ha, reçoit plus de 100 000 visiteurs par an. On y observe 195 espèces d'oiseaux !

À une époque où les Français en vacances promotionnent la mer à 54 % et la campagne à 18 %, la baie de Somme risquerait-t-elle de se voir envahir par les foules avides de *sea, sex and sun* ? (*Figaro Madame*, 1er juillet 2000) S'il est vrai que le sable de la plage du Crotoy est l'endroit idéal pour passer des vacances au soleil, la campagne proche et la forêt appellent à la promenade en famille.

Dès le XIXe siècle, les Chemins de fer du Nord ont ouvert la voie aux découvertes de ces plages "familiales" : de Bray-Dunes à Malo-les-Bains, d'Audresselles à Wimereux, d'Hardelot au Touquet-Paris-Plage, Berck et Fort-Mahon, et du Crotoy à Mers-les-Bains, les foules estivales prennent possession de ces lieux de pleine nature, balayés par les vents saturés d'iode.

Toulouse-Lautrec quitte parfois Paris pour Les Mouettes au Crotoy. Colette elle aussi, faut-il s'en étonner, adore le sable, le soleil, la mer et l'infini du paysage de la baie. Dans la plus grande discrétion, Jules Verne venait y rêver de ponts jetés sur des baies immenses, de trains intercontinentaux et de sous-marins, de ballons et de navires-villes, tel le *Great Eastern*, qui bientôt sillonneront les océans. Est-ce au Crotoy, dans sa *Solitude*, qu'il écrivit *De la Terre à la Lune* et *Les Enfants du capitaine Grant* et, plus tard *Vingt mille lieues sous les mers* ? Et Seurat, n'est-ce pas ici, sur cette digue de Saint-Valery, qu'il peignit quelques-uns de ses plus beaux tableaux ?

Du domaine du Marquenterre à la pointe de Saint-Quentin, de l'embouchure de la Maye à la pointe à Guille, du Crotoy à Saint-Valery et du cap Hornu à la pointe du Hourdel, que de paysages, que de chants d'oiseaux, que de fleurs rares à découvrir dans le calme et la beauté radieuse d'une nature préservée.

> *"La baie de Somme se livre quand elle sort des nimbes qui la dissimulent, créant une confusion étrange entre la terre et la mer. Émerge à l'horizon, une intensité lumineuse gris-vert, Le Hourdel et son fanal, insularisés par la brume qui se lève peu à peu. Alors surgit, pour qui sait voir, un enchevêtrement de canaux, de vasières et de mollières – monticules de sable enterré gagnés par la végétation où nichent mouettes, goélands, bécasseaux...*
>
> *La baie de Somme n'est pas l'écrin d'un joyau posé en son centre comme l'est la baie du Mont-Saint-Michel pour l'abbaye. Il n'est pour elle point besoin d'un monument pour avoir une histoire. Elle n'offre rien de spectaculaire, pourtant elle est exceptionnelle."*
>
> (J. *Béal, Au cœur de la baie de Somme et du Marquenterre,* La Renaissance du Livre.)

Voilà pourquoi aujourd'hui, la baie de Somme se voit choisie pour figurer sur la liste des "plus belles baies du monde".

2000

Pierre Mauroy

Augustin Laurent l'avait vu grandir, il avait senti la carrure, la force et le savoir-faire de ce militant entré aux Jeunesses socialistes de Cambrai au lendemain de la guerre. En 1950, le voilà secrétaire des Jeunesses socialistes et il s'occupe activement des Foyers Léo Lagrange. Professeur d'histoire-géographie, il continue son action au sein de la Fédération socialiste du Nord. En 1971, Augustin Laurent le retient à Lille plutôt que de le voir absorbé à Paris par l'appareil du PS. Et en 1973, alors qu'il est maire de Lille depuis 1955, il offre son écharpe à son premier adjoint, Pierre Mauroy.

À 45 ans, le voilà donc maire de Lille. "On attend tout du maire", écrivait-il dans *Parole de Lillois*. En effet, Pierre Mauroy a reçu les clefs d'une ville à peine sortie de son corset de remparts hérité des siècles passés, à peine sortie du XIXe siècle industriel, convalescente encore des blessures de la guerre. Augustin Laurent avait sans aucun doute profité des quelques années "glorieuses" pour aménager, construire et reconstruire. Le quartier Saint-Sauveur a vu 19 ha d'îlots insalubres bâtis à neuf. Partout les architectes, Prix de Rome, élèvent les "Chantiers de l'espoir" : building au boulevard de Belfort, aux Bois-Blancs, au faubourg de Béthune... Partout on installe l'eau courante et les égoûts. On reconstruit le palais de justice et la Trésorerie, la Cité administrative et la piscine olympique Max Dormoy… À Pierre Mauroy de prendre la suite.

À l'horizon, le XXIe siècle. Il aura la formidable chance de travailler pendant plus d'un quart de siècle avec les mêmes équipes, sur les mêmes projets, avec une continuité qui frise l'acharnement. "On attend tout du maire" : il donnera tout à la Lille. Il fera de ce chef-lieu de département une capitale régionale, la capitale des Flandres, le carrefour incontournable de l'Europe du Nord, une capitale culturelle pour l'an 2004. Qui faut-il saluer, le capitaine ou l'équipage ?

En quelques années, tout a changé : la Communauté urbaine de Lille, le Théâtre du Nord, l'opéra en cours de restauration, la Vieille Bourse, l'Orchestre national de Lille et le Palais de la Musique, le palais des Beaux-Arts et le musée de l'Hospice Comtesse, Euralille et la gare Lille-Europe, le Zénith et les boulevards, la cathédrale Notre-Dame-de-la-Treille et la place du Général-de-Gaulle, sans oublier la convialité des mairies de quartier, etc., etc.

En 1973, qui pouvait imaginer le Lille de l'an 2000 ?

QUELLE TERRE POUR NOS ENFANTS ?

Quelle terre pour nos enfants ?

Depuis dix à quinze ans, en Picardie comme dans le Nord-Pas-de-Calais, l'action régionale en faveur de l'environnement suit une double logique : d'une part, une politique volontariste de reconquête destinée à effacer les "cicatrices" du passé, qu'il s'agisse des blessures laissées par les deux guerres ou par les industries qui ont défiguré les villes ou le paysage et pollué les sols. D'autre part, une action de promotion auprès des acteurs en vue de les amener à respecter l'environnement. Cela suppose une continuité d'action pour maintenir les Parcs naturels régionaux à un haut niveau de qualité, le soutien à la maîtrise de l'énergie et au traitement des déchets. Plusieurs interventions en découlent naturellement, par exemple, la filière éolienne, les technologies propres, l'éducation à l'environnement, la haute qualité environnementale des constructions scolaires, la coopération avec le monde agricole et la biodiversité... Ainsi, tout en participant à la reprise industrielle dans des régions à forte urbanisation, les habitants retrouveront un cadre de vie de qualité en même temps qu'un développement économique régional durable.

Il faut signaler aussi la contribution des Fonds structurels européens tant pour le Nord-Pas-de-Calais que pour la Picardie. Ces interventions accompagnent les actions régionales : ainsi par exemple la réalisation du Centre de tri de déchets à Seclin, la Maison de la faïence à Desvres, l'aménagement des anciens terrils, la restauration de la cathédrale d'Amiens et l'aménagement d'une zone protégée, la restructuration du zoo de Maubeuge, le désenclavement routier de l'Avesnois, le Centre de la mer à Boulogne, la gare TGV de Lille et le Zénith, la Caverne du Dragon au Chemin des Dames…

Que soient désormais protégés ces grands espaces de verdure qui, de la Picardie au Hainaut et à la Flandre, sauvent nos paysages de l'asphyxie : les forêts de Compiègne, Chantilly, Halatte, Crécy et Saint-Gobain, le domaine du Marquenterre et les vallées de la Bresle, de la Somme, de l'Authie, de la Canche et de l'Aa qui ont retrouvé une eau de qualité, les Parcs naturels régionaux du Boulonnais, de l'Audomarois, de la Scarpe-Escaut et de l'Avesnois : ce sont des territoires d'exemplarité et d'expérimentation qui resteront, pour les générations à venir des territoires de vie sauvegardée.

Pour une eurométropole franco-belge

"Comme partout au sein de l'Union européenne, la frontière franco-belge reste une réalité. Pour la gommer, la géographie est un précieux secours : ici, nul obstacle naturel à franchir. Mais ce premier atout ne suffit pas : essentielle est la volonté de l'Homme."

Perspectives européennes : des projets pour le Nord-Pas-de-Calais, avril 2002.

De Waregem à Ostricourt, de Poperinge à Leuze, de Comines-Warneton à Estaimpuis, en passant par Lille, Roubaix, Tourcoing, Armentières, Mouscron, Courtrai, Tournai, Ypres, Roulers, plus de 300 communes ont lié leur destin, plus de 1 900 000 "voisins" marchent la main dans la main.

Et pourtant trois frontières les séparent – une frontière nationale, enjeu, dans les siècles passés de tous les conflits entre France, Angleterre, Autriche, Espagne, Pays-Bas... – une frontière linguistique, sans doute la plus ancienne : le néerlandais, issu du bas-allemand, et le français, issu de la langue d'oïl choisi par le roi François Ier – il existe enfin, côté belge, des limites provinciales particulières aux communes de Mouscron et Comines-Warneton.

Faut-il parler d'imbroglio ? Certainement pas, puisque dès le Moyen Âge, les communes vivaient ensemble la même histoire mouvementée, le même développement économique et culturel, les mêmes échanges nord-sud et est-ouest. Il suffit de suivre sur une carte ancienne les chemins naturels tracés par les riches vallées de l'Yser, la Lys et la Deûle et enfin l'Escaut.

Certes, les aléas des traités ont fait de la Lys comme de l'Escaut des frontières gardées et défendues par des châteaux ou des forteresses aujourd'hui disparues comme à Menin, Courtrai et Gand, comme à Valenciennes, Tournai, Ename et Anvers. Combien de bornes-frontières des siècles passés sont devenues pièces de musées !

Peut-on s'ignorer aujourd'hui lorsque l'on vit de part et d'autre d'une même rivière ? Les ponts sont-ils construits pour unir ou pour séparer ? Les urbanistes doivent désormais gommer les frontières nationales pour tracer les autoroutes. Quant aux ingénieurs, ils oublient les pointillés des cartes pour placer les voies ferrées des TGV de Londres à Lille, Bruxelles, Liège et Cologne. Et puisque les nappes phréatiques ne connaissent ni frontière ni contrat, force est de s'entendre pour gérer l'abondance d'eau potable avant d'être contraint d'en gérer la pénurie.

Nous n'avons pas créé l'imbroglio. Il nous a été imposé. Le retour à la sagesse nous conduit donc vers une nouvelle organisation institutionnelle et administrative qui tienne compte des grands problèmes qui se posent et se poseront dans les décennies à venir.

L'entrée dans le XXIe siècle n'a certes rien changé aux structures héritées de la géographie. Mais peut-on vivre et survivre au XXIe siècle sur des structures historiques mises en place aux XVIIe et XVIIIe siècles ? Peut-on ignorer les bouleversements sociaux, économiques et culturels et faire comme si n'existaient pas les canaux, les routes, les autoroutes, le VAL, le TGV et les avions ? Il reste qu'un formidable bouleversement s'est produit au XXe siècle en plaçant ce territoire de 2 800 km^2 au cœur d'une Europe unie. “Terres de débats”, constataient les historiens. “Terres d'échanges”, disent aujourd'hui les économistes. Entre les conurbations de Londres, Bruxelles-Anvers, Rotterdam-Amsterdam, Cologne-Bonn et Paris, il existe désormais une eurométropole franco-belge.

Stratégie pour une métropole transfrontalière

> *“La coopération transfrontalière se nourrit d'ambitions et de stratégies, de connivences et d'amitiés, et de savoirs. Le projet de bâtir ensemble une métropole transfrontalière suppose la volonté de faire émerger les idées, les ambitions, les stratégies, les projets... et de les faire partager pour motiver et rapprocher les acteurs du développement territorial.”*
>
> *Cahiers de l'atelier transfrontalier*, décembre 2001.

ÊTRE CITOYENS D'UNE MÉTROPOLE

Amener chacun vers une citoyenneté d'appartenance à la métropole transfrontalière ;

inciter et soutenir les initiatives de coopération transfrontalière ;

impliquer les citoyens en créant des actes fondateurs d'une métropole ;

favoriser à tous les niveaux l'apprentissage de la langue du voisin ;

encourager la libre circulation des étudiants et les échanges entre les institutions ;

décloisonner le marché de l'emploi.

UNE MÉTROPOLE INTERNATIONALE

Offrir un territoire pour créer et entreprendre ;

favoriser ensemble les implantations d'entreprises et d'institutions internationales ;

donner une image positive originale de notre espace transfrontalier ;

renforcer et valoriser les pôles d'excellence de la formation professionnellede l'enseignement supérieur et de la recherche ;

déclencher un bond en avant dans la pratique des langues étrangères ;

former les nouvelles générations au plurilinguisme ;

favoriser l'accessibilité par une politique cohérente des transports.

UN ENVIRONNEMENT DE QUALITÉ ET DES ACTEURS RESPONSABLES

Cogérer les ressources d'eau ;

construire ou reconstruire un paysage de qualité ;

valoriser les rivières et les canaux ;

la métropole ne sera attractive que si les villes qui la composent sont attractives ;

coordonner l'aménagement et l'équipement du territoire.

DÉCIDER ET AGIR ENSEMBLE

dans la réalisation des projets, dans le marketing, pour une nouvelle gouvernance ;

pour cela il importe d'informer et de dialoguer, et ce à tous les niveaux de la décision ; doit devenir une habitude :

> *"On place des chaises belges dans les salles de réunions françaises, et des chaises françaises dans les salles belges."*

Plus que des projets valables pour demain ou après-demain, cette énumération un peu sèche pourrait laisser entendre que ce ne sont là que les bribes de discours vite oubliés. Au contraire, depuis hier et avant-hier, les réalisations les plus importantes sont en place et portent déjà leurs fruits grâce au travail réalisé en commun.

Acteurs de cette coopération en marche depuis dix ans : cinq intercommunales flamandes, wallonnes et française : LEIEDAL, Courtrai – WVI, Ypres et Roulers – IDETA, Tournai – IEG, Moucron – CUDL, Communauté urbaine de Lille, rassemblées au sein de la COPIT (Conférence permanente intercommunale transfrontalière).

Visibles, les réalisations témoignent d'une marche en avant volontaire et dynamique :

la création d'un observatoire transfrontalier des ressources en eau ;

le Carré urbain de Comines ouvert sur la Lys ;

le Parc de la Lys entre Halluin et Menin ;

l'édition d'un atlas *Eurométropole franco-belge*, en néerlandais et en français l'amélioration des transports transfrontaliers ;

les voies lentes du réseau RAVeL le long de l'Escaut, du canal de Roubaix, de la Lys, du canal Comines-Ypres et des voies ferrées désaffectées autour de Roulers ;

la mise en place d'un réseau transfrontalier d'itinéraires cyclabes ;

l'amélioration de l'offre ferroviaire Courtrai-Lille et Tournai-Lille ;

la création d'un titre de transport unique donnant accès à plusieurs modes de déplacement ;

les communes riveraines de la Lys organisent chaque année les fêtes de l'eau, sur le thème commun de la protection de l'environnement ;

la réalisation du parc transfrontalier du Ferrain.

En 2004, Courtrai, Mouscron et Tournai participeront aux manifestations prévues dans le cadre de Lille Capitale européenne de la Culture

"Bâtir une métropole franco-belge solidaire : une exigence aujourd'hui pour compter au plan européen.
À l'heure de la mondialisation, de l'intégration européenne et de la compétition accrue entre les territoires, le pari est aujourd'hui de montrer qu'il est possible de s'appuyer sur les forces de chacun pour métamorphoser cette aire transfrontalière et l'ériger au rang de métropole internationale."

(*Stratégie pour une métropole transfrontalière COPIT*, mars 2002.)

"Demain ne sera pas comme hier.
Il sera nouveau et il dépendra de nous.
Il est moins à découvrir qu'à inventer."
Gaston Berger

Bibliographie

Histoire

Amouroux (Henri), *Histoire des Français sous l'occupation*, éd. Robert Laffont, 1976.

Artiges (Claude), *Avec ceux du 43e régiment d'infanterie*, éd. Dereume, 1972.

Backer (Louis de), *Voyage de Guillaume de Rubrouck*, éd. Michel Losen, 1887-1991.

Béal (Jacques), *Hommes et combats en Picardie 1939-1945*, éd. Martelle, 1994.

Blancpain (Marc), *La Frontière du Nord, de la mer à la Meuse*, éd. Perrin, 1990.

Blanquart (Serge), *Dunkerque 1940-1945*, éd. Voix du Nord, 1995.

Blanquart (Serge), *Dunkerquois sur tous les fronts*, éd. Voix du Nord, 1996.

Blond (Georges), *La Grande Armée*, Robert Laffont, 1979.

Bohler et Régnier, *Croisades et pèlerinages XIIe-XVIe*, éd. Robert Laffont, 1997.

Born (Robert), *Les Croy*, Éditions d'Art Associés, 1981.

Caron et Clauzel, *Le Banquet du Faisan*, éd. Artois Presses Université, 1997.

Caudron (André), *La Libération : Nord-Pas-de-Calais Belgique*, éd. Nord-Éclair, 1994.

Chadeau (Emmanuel), *Le Rêve et la puissance*, éd. Fayard, 1996.

Claire et Kappler, *Guillaume de Rubrouck*, éd. Payot, 1985.
Claire et Kappler, *Voyage dans l'empire mongol*, éd. Imprimerie nationale, 1993.
Closon (Francis-Louis), *Commissaire de la République*, éd. Julliard, 1980.
Collectif, *Arras et la diplomatie européenne, XVe-XVIe siècles*, éd. Artois Presses, 1999.
Collectif, *Au calendrier de l'Histoire*, 3 volumes, éd. Voix du Nord, 1989.
Collectif, *Cent ans de vie dans la région*, 5 volumes, éd. Voix du Nord, 1999.
Collectif, *Charles de Gaulle, La Grandeur de la France et La Liberté du Monde*, éd. Voix du Nord, 1991.
Collectif, *Châteaux et chevaliers en Hainaut au Moyen Âge*, éd. Crédit Communal, 1995.
Collectif, *Le Nord, de la préhistoire à nos jours*, éd. Bordessoules.
Collectif, *1914-1918, Le Pas-de-Calais en guerre*, Archives du Pas-de-Calais, 1998.
Collectif, *Les Pays du Nord*, éd. Bonneton, 1994.
Collectif, *Picardie*, éd. Bonneton, 1992.
Compère-Morel (Thomas), *Mémoires d'outre-mer*, Historial Péronne, 1996.
Conscience (Hendrik), *Le Lion de Flandre*, éd. Copernic, 1838-1979.
Cuich (Myrone), *Armes secrètes et ouvrages mystérieux*, chez l'auteur, 1984.
Cuich (Myrone), *Le Nord dans la tourmente, 1939-1945*, chez l'auteur, 1994.

Debergh et Gaillard, *Les Chemins de l'Armistice*, éd. France-Empire, 1968.

Deberles (Kléber), *La Grande Épopée des mineurs*, éd. Voix du Nord, 1992.

Débuchy (Victor), *Histoire des armes secrètes allemandes*, éd. France-Empire, 1978.

Dejonghe et Le Maner, *Le Nord-Pas-de-Calais dans la main allemande, 1940-1944*, éd. Voix du Nord, 1999.

Delpha (François), *L'Appel du 18 juin 1940*, éd. Grasset, 2000.

Deruyck (René), *Lille 14-18, dans les serres allemandes*, éd. Voix du Nord, 1992.

Deyon (Solange) et Lottin (Alain), *Les "Casseurs" de l'été*, Paris, 1981.

Diligent (André), *Un cheminot sans importance*, éd. France-Empire, 1975.

Draper (Alfred), *Opération FISH 1939-1945*, éd. Plon, 1980.

Duby (Georges), *Le Dimanche de Bouvines*, éd. Gallimard, 1973.

Duby (Georges), *Histoire de la France*, éd. Larousse, 1977.

Fishmann (Jack), *Et les murailles tombèrent : Amiens 18-2-44*, éd. Robert Laffont, 1983.

Fontaine (Raymond), *La Manche en ballon*, éd. Les Beffrois, 1982.

Fossier (Robert), *Histoire de la Picardie*, éd. Privat, 1974.

Gaulle (Charles de), *Lettres, notes et carnets*, éd. Plon, 1983.

Goubert (Pierre), *Le Siècle de Louis XIV*, éd. de Fallois, 1996.

Lille eurométropole franco-belge, éd. La Renaissance du livre, 2001.
Lecat (Jean-Philippe), *Quand flamboyait la Toison d'Or*, éd. Fayard, 1983.
Le Roy Ladurie (Emmanuel), *Inventaire des campagnes,* éd. J.C. Lattès, 1980.
Lheureux (Danièle), *Les Oubliés de la Résistance*, éd. France-Empire, 1988.
Lord (Walter), *Le Miracle de Dunkerque*, éd. Robert Laffont, 1983.
Loridan (Jules), *La Terreur rouge à Valenciennes 1794-1795*, éd. Histodif, 1909-1994.
Lottin (Alain), *Les Grandes Batailles du Nord*, éd. Mazarine, 1984.
Lottin (Alain), *Le Nord en Révolution*, éd. Conseil Général du Nord, 1989.
Lottin (Alain), *Boulonnais, noble et révolutionnaire*, éd. Artois Presses Université, 1995.
Lucenet (Monique), *Les Grandes Pestes en France*, éd. Aubier, 1985.
Lugan (Bernard), *Huguenots et Français*, éd. La Table Ronde, 1988.
Melville (Maxilien), *Dictionnaire historique de l'Aisne*, éd. Histodif, 1857-1991.
Marcq et Visse, *La Parenthèse tragique. Le Nd PdC 39-40*, éd. Voix du Nord, 1995.
Mathot (René), *Hitler en Belgique et en France, Au ravin du loup*, éd. Racine, 2000.
Miquel (Pierre), *Lettre ouverte aux bradeurs de l'histoire*, éd. Albin Michel, 1981.

Miquel (Pierre), *La Grande Guerre*, éd. Fayard, 1983.

Miquel (Pierre), *La Seconde Guerre mondiale*, éd. Fayard, 1986.

Miquel (Pierre), *Le Piège de Munich*, éd. Denoël, 1998.

Mocq (Jean-Marie), *Ascq 1944, la nuit la plus longue*, éd. Actica, 1971.

Paillat (Claude), *Dossiers secrets de la France contemporaine*, éd. Robert Laffont, 1979.

Paillole (Paul), *Notre espion chez Hitler*, éd. Robert Laffont, 1985.

Pierrard (Pierre), *Flandre, Artois, Picardie*, éd. Arthaud, 1970.

Platelle et Clauzel, *Histoire des provinces françaises du Nord 2*, éd. Les Beffrois, 1989.

Platelle (Alain), *Journal d'un curé de campagne au XVIIIe siècle*, éd. Septentrion, 1997.

Rorive (Jean-Pierre), *La Guerre de siège sous Louis XIV*, éd. Racine, 1998.

Saint-Blanquat (Henri de), *Archéo TGV, 450 km d'histoire*, éd. Casterman, 1992.

Streck (Alain), *J'étais à Bouvines*, éd. L'Harmattan, 1998.

Vanwelkenhuyzen (Jean), *Pleins feux sur un désastre 1940*, éd. Racine, 1995.

Viseux (Augustin), *Mineur de fond*, éd. Terre Humaine, Plon, 1991.

Winterbotham (Fréderick), *ULTRA*, éd. Robert Laffont, 1976.

Biographies

Babelon (Jean), *Charles Quint, 1500-1558*, éd. Club du Meilleur Livre, 1947-1958.
Blanchard (Anne,) *Vauban*, éd. Fayard, 1996.
Blémus (René), *Les Derniers Corsaires de la Manche*, éd. Ouest-France, 1994.
Bourassin (Emmanuel), *Les Ducs de Bourgogne*, éd. Lavauzelle, 1985.
Cant (Geneviève de), *Jeanne et Marguerite de Constantinople*, éd. Racine, 1995.
Coursier (Alain), *Faidherbe*, éd. Tallandier, 1989.
Darmon (Pierre), *Pasteur*, éd. Fayard, 1995.
Dubos (René), *Louis Pasteur*, éd. PUF, 1955.
Duquesne (Jacques), *Jean Bart*, éd. Seuil, 1992.
Faÿ (Bernard), *Louis XVI, ou la fin d'un monde*, éd. La Table ronde, 1981.
Fels (Marthe de), *Quatre messieurs de France*, éd. Flammarion, 1975.
Gallo (Max), *Le Grand Jaurès*, éd. Robert Laffont, 1984.
Joriaud (Paul de), *Jean Bart et la Guerre de Course*, éd. La Découvrance, 1888-1996.
Leleu et Odonne, *Albert Denvers*, éd. Jean Bart, 1991.
Morthon (Frédéric), *Les Rotschild*, éd. Gallimard, 1962.
Mousseigne (Édouard), *Eustache le Moine*, éd. Voix du Nord, 1996.
Muratori (Anne), *Parmentier*, éd. Plon, 1994.
Murray (Kendall), *Louis XI*, éd. Fayard, 1974.
Parent (Michel), *Vauban*, éd. Berger-Levrault, 1982.
Pérez (Joseph), *L'Espagne de Philippe II*, éd. Fayard, 1999.

Pierrard (Pierre), *Gens du Nord*, éd. Arthaud, 1985.
Pujo (Bernard), *Vauban*, éd. Albin Michel, 1991.
Rebelliau (Alfred), *Vauban*, éd. Fayard.
Saïfi (Abdelkrim), *Pasteur*, éd. Voix du Nord, 1995.
Sivery (Gérard), *Marguerite de Provence*, éd. Fayard, 1987.
Sivery (Gérard), *Blanche de Castille*, éd. Fayard, 1990.
Sivery (Gérard), *Louis VIII, le Lion*, éd. Fayard, 1995.
Soisson (Jean-Pierre), *Charles le Téméraire*, éd. Grasset 1997.
Soisson (Jean-Pierre), *Charles Quint*, éd. Grasset, 2000.
Vallery-Radot (René), *La Vie de Pasteur*, éd. Flammarion, 1900.
Ziegler (François), *Villars : le centurion de Louis XIV*, éd. Perrin, 1996.

Traditions et culture

Béal (Jacques), *Baie de Somme*, éd. La Renaissance du Livre, 2000.
Bossuyt (Ignace), *De Guillaume Dufay à Roland de Lassus*, éd. Cerf-Racine, 1994.
Bruggeman (Jean), *Toujours vivants, les moulins*, éd. Amis des moulins, 1986.
Bruggeman, Coutant, Denewet, *Travailler au moulin (Werken met Molens)*, éd. Amis des moulins, 1996.
Castellani (Martin), *Arras au Moyen Âge*, éd. Artois Presses Université, 1994.
Collectif, John Ruskin, *Picardie gothique*, éd. Casterman-les Provinciales, 1995.

Coutant (Yves), *Moulins des Flandres*, éd. SAEP, 1986.
Darras (Jacques), *Le Génie du Nord*, éd. Grasset, 1988.
Darras (Jacques), *La Mer hors d'elle-même*, éd. Hatier, 1991.
Darras (Jacques), *La Picardie, verdeur dans l'âme*, éd. Autrement, 1993.
Darras (Jacques), *La Forêt invisible : le picard*, éd. Trois Cailloux, 1985.
Dervaux (A.-M.), *Les Matins du Quattrocento*, éd. Josquin des Prés, 1995.
Giblin-Delvallet (Béatrice), *La Région, territoires politiques*, éd. Fayard, 1990.
Guedj (Denis), *La Mesure du monde. La méridienne*, éd. Robert Laffont, 1997.
Gueusquin, Mestayer, *Fêtes et géants de Douai*, éd. Musée de Béthune, 1994.
Lotthé (Ernest), *Feux verts sur les routes de Flandre*, éd. Silic, 1958.
Marcq (Michel), *Floraison gothique en Picardie*, éd. Du Quesne, 1992.
Pontroué (Pierre-Marie), *Notre-Dame d'Amiens*, éd. Martelle, 1997.
Thiébaut (Jacques), *Les Cathédrales gothiques en Picardie*, éd. CRDP, 1991.
Wintrebert (Patrick), *Ainsi passe la gloire du monde*, éd. Musée de Béthune, 1991.

Économie

Bousset (Gérard), *Le Geste et la Parole*, éd. Godefroy, 1990.

Collectif, *Industrie textile*, éd. Revue du Nord, 1987.

Collectif, *Terre de Brasserie*, éd. Musée de Béthune, 1997.

Collectif, Trois ports. *Une même porte pour l'Europe*, éd. Préfecture Région Nord-Pas-de-Calais, 1992.

Debourse (Jean-Pierre), *C comme "centenaires"*, éd. La Gazette, 1992.

Delsalle (Paul), *La Brouette et la Navette*, éd. Les Beffrois, 1985.

Dubois (Joseph), *Les Locomotives du Nord*, éd. Planquart, 1983.

Garcette (Pierre), *Notre Région peut-elle gagner ?*, éd. Voix du Nord, 1991.

Grasset (Pierre-Yves), *Chronique du tunnel sous la Manche*, éd. Larousse, 1994.

Leclercq (Maurice), *De la mule-jenny à l'ordinateur*, éd. Voix du Nord, 1999.

Lemoine (Bertrand), *Le Tunnel sous la Manche*, éd. Le Moniteur, 1994.

Olivier (Philippe), *Fromages des pays du Nord*, éd. Jean-Pierre Taillandier, 1998.

Petit, Grislain, *Le Blan, La Redoute*, éd. Robert Laffont, 1985.

Prouvost (Albert), *Toujours plus loin*, éd. Voix du Nord, 1992.

Simon (Michel), *Un jour un train. La saga d'Euralille*, éd. Voix du Nord, 1993.

Visse (Jean-Paul), *Le Train et la région du Nord*, éd. Voix du Nord, 1993.

Villes

Collectif, *La Métropole rassemblée*, éd. Fayard, 1998.
Collectif, *Pas-de-Calais*, éd. Bonneton, 1994.
Collectif, *Le Pas-de-Calais*, éd. Bordessoules, 1989.
Collectif, *Lille, d'un millénaire à l'autre*, éd. Fayard, 1999.
Collectif, *Atlas historique des villes de France*, éd. Hachette, 1996.
Derville (Alain), *Saint-Omer, des origines au début du* XIVe *siècle*, éd. PUL, 1995.
Derville (Alain), *Histoire de Calais*, éd. Les Beffrois, 1985.
Gérard (Alain), *Les Grandes Heures de Lille*, éd. Perrin, 1991.
Guignet (Philippe), *Vivre à Lille sous l'Ancien Régime*, éd. Perrin, 1999.
Hilaire (Yves-Marie), *Roubaix*, éd. Les Beffrois, 1984.
Lemaire (Dr), *Histoire de Dunkerque*, éd. Nord Maritime, 1927.
Lottin (Alain), *Lille, Citadelle de la contre-réforme ?*, éd. Les Beffrois, 1984.
Lottin (Alain), *Tourcoing*, éd. Les Beffrois, 1986.
Manand (Jean-Louis), *Lille 95, Élections municipales*, éd. Publi-Nord, 1995.
Mauroy (Pierre), *Parole de Lillois*, éd. Lieu Commun, 1994.

Pierrard (Pierre), *La Vie ouvrière à Lille sous le Second Empire*, éd. Bloud et Gay, 1965.

Pierrard (Pierre), *Lille et les Lillois*, éd. Bloud et Gay, 1967.

Platelle (Henri), *Histoire de Valenciennes*, éd. PUL, 1982.

Trenard (Louis), *Histoire des Pays-Bas*, éd. Français Privat, 1974.

Trenard (Louis), *Histoire de Lille*, éd. Privat, 1991.

Vanneufville (Éric), *Histoire de Lille*, éd. France-Empire, 1997.

Cahiers de l'atelier transfrontalier, mars 2002.
COPIT, 2, Place du Concert Lille.

Index des personnalités

Achard, chimiste, 184
Adam de la Halle, dit aussi d'Arras, ou Le Bossu, poète arrageois, 39
Albe, Fernando Alvarez de Toledo (duc d'), 117
Albert le Pieux et Isabelle, archiducs d'Autriche, 124
Artagnan, Charles de Batz-Castelmore (sieur d'), mousquetaire et gouverneur de Lille, 140, 141
Augier de Bousbecque, diplomate, 112, 114

Baïetto, Jean-Paul, directeur général d'Euralille, 271
Barard de Rihout, il offrit sa propriété à l'hôpital Comtesse, 92
Barre, Raymond, économiste et homme politique français, 258
Bart, chevalier Jean, chef d'escadre, 154-156, 253
Barthélemy, évêque de Laon, 31
Basly, Émile, député de Denain en 1885, 215
Baudouin V, dit de Lille, comte de Flandre, 15, 16
Baudouin I, comte de Flandre sous le nom de Baudouin IX et premier empereur latin de Constantinople, 50, 60
Beethoven, Ludwig van, compositeur allemand, 93
Bellefonds, Bernardin Gigault (marquis de), maréchal et gouverneur de Lille, 140
Berlioz, Hector, compositeur, 195
Bernard de Cîteaux, moine à Cîteaux, 37

Bernanos, Georges, écrivain, 117
Bertholin, moine, 18
Berthon, Pierre, le dernier des "rescapés" de la catastrophe de Courrières, 213
Bertulf, prévôt, 34
Bigo-Tilloy, brasseur, rue de Lille à Esquermes, 199
Bismarck, Otto, prince von, chancelier du Reich, président du Conseil de Prusse, 203
Blanchard, Jean-Pierre, aéronaute, 164, 253
Blériot, Louis, industriel et aviateur, 215-217, 273
Blum, Léon, écrivain et homme politique, 207, 231, 233
Bossuet, Jacques Bénigne, prélat, théologien, écrivain, 146
Boucher de Perthes, Jacques Boucher de Crèvecœur de Perthes, un des fondateurs de la science préhistorique, 196-198
Boufflers, Louis-François (duc de), maréchal, 159, 160
Bourbaki, Charles Denis Sauter, général, 201
Branly, Édouard, physicien, inventeur du cohéreur à limaille, 211, 212, 261
Bülow, Karl von, feld-maréchal allemand, 222
Burchard, neveu de Bertulf, 34

Calmette, Albert, médecin et bactériologiste, fondateur de l'Institut Pasteur à Lille, 200
Calvin, Jean Cauvin dit, réformateur religieux et écrivain, 117
Carnot, Lazare Nicolas Marguerite, l'Organisateur de la victoire, le Grand Carnot, 170

Cassini, César François et Dominique, auteurs de la carte de France au 1/86 400e en 180 feuilles, terminée en 1815, 167
César, ou Jules César, général et homme d'État romain, 121
Chaptal, Jean-Antoine, comte de Chanteloup, chimiste et homme politique, 184
Charles II, roi d'Angleterre, 133
Charles V le Sage, roi de France, 78
Charles VI le Bien-Aimé ou le Fou, roi de France, 89
Charles VII, roi de France, 89
Charles II, roi d'Espagne, 133
Charles de l'Écluse, dit Carolus Clusius, botaniste, 112, 113
Charles le Bon, comte de Flandre, 34
Charles le Téméraire, duc de Bourgogne, 80, 96, 97, 99, 100, 267
Charles Quint, comte de Flandre, duc de Bourgogne, prince des Pays-Bas, roi d'Espagne, empereur germanique, 92, 94, 108-114, 158, 258
Chappe, Claude, ingénieur, inventeur du télégraphe aérien, 171
Châtillon, Jacques de Saint-Pol de, famille noble de Champagne, 70, 71
Churchill, sir Winston Leonard Spencer, homme politique britannique, 240
Clemenceau, Georges, homme politique, 211
Colbert, Jean Baptiste, homme politique, 135
Colette, Sidonie Gabrielle Colette, romancière française, 275

Commynes (ou de Comines), Philippe de, chroniqueur, 91, 106, 115
Condé, Louis II de Bourbon (duc d'Enghien puis prince de), dit le Grand Condé, 127, 130, 142
Condorcet, Marie Jean Antoine Nicolas de Caritat (marquis de), philosophe, mathématicien, homme politique, 180
Crêpel-Delisse, Louis François Xavier Joseph, épicier, commerçant, industriel, 186
Curtiss, Glenn, aviateur américain, 216

Degeyter, Pierre, auteur de la partition musicale du *Chant de l'Internationale*, 208
Delambre, Jean Baptiste Joseph, chevalier, astronome, 173
Delessert, Étienne, financier puis s'occupe d'agriculture, 184
Delestrain, Charles Antoine, général français, 238
Delezenne, Charles, physicien, 187, 198
Delory, Gustave, maire de Lille (1896/1904-1919/1925), 207, 208
Denvers, Albert, député-maire de Gravelines, président de la CUDD, président du Conseil général du Nord, président du groupe du Tunnel sous la Manche, 259
Destrée, Julien, ingénieur et architecte lillois, 129
Didier de Hondschoote, 71
Don Francisco, chef militaire espagnol, 127
Doumergue, Gaston, homme d'État français, 229
Dreyfus, Alfred, officier français, 206

Dufay, Guillaume, compositeur franco-flamand, 92, 93, 107

Édouard III, roi d'Angleterre, 73, 74, 87
Édouard IV, roi d'Angleterre, 98, 99
Elisabeth II, reine du Royaume-Uni de Grande-Bretagne, chef du Commonwealth, 248, 274
Enguerrand, évêque de Laon, 30
Estrades, Godefroy (comte d'), maréchal et diplomate, 133, 134
Eugène de Savoie-Carignan, dit le prince Eugène, feld maréchal et homme politique autrichien, 158
Eustache le Moine, dit Witasse, pirate boulonnais, 41, 56
Évrard de Fouilloy, évêque d'Amiens, 58

Faidherbe, Louis Léon César, colonisateur et général, 201, 202
Falconer, Hugh, président de la Royal Society de Londres, 197
Farman, les frères, aviateurs et constructeurs d'avions, 216
Fauveau, Simon, bourgeois valenciennois, 117
Favre, Jules, ministre des Affaires étrangères (1870/1871), 202
Fénelon, François de Salignac de la Mothe, prélat, écrivain, 145, 146
Ferdinand I, empereur germanique, 112, 113
Ferdinand III, empereur germanique, 126

Ferdinand de Portugal dit Ferrand, comte de Flandre et de Hainaut, 51, 52, 54
Foch, Ferdinand, maréchal de France, 225, 226
Fontaine, Charles, journaliste, 217
Fourcroy, Antoine-François (comte de), chimiste et homme politique, 184
François Ier de Lorraine, le Balafré, duc de Guise, 115
France, Anatole François Thibault, écrivain, 206
François Ier, roi de France, 108-110, 258
François II, duc de Bretagne, 98
François-Ferdinand de Habsbourg, archiduc d'Autriche, 221, 267
Franklin, Benjamin, homme politique américain, 166
Frère, Aubert, général français, 238
Freycinet, Charles Louis de Saulces de, président du Conseil, 203
Frisius, Friedrich, amiral allemand, signataire de la reddition de Dunkerque, 242
Frison, apothicaire à Montdidier, 165
Froissart, poète et chroniqueur, 39

Gabillard, Robert, professeur à l'université des Sciences et Techniques de Lille, initiateur du VAL, 260, 261
Gaifie, René, maire de Lille (1947-1955), 247
Galbert de Bruges, écrivain, 34
Gallieni, Joseph Simon, général et administrateur, 222
Gambetta, Léon, ministre de l'Intérieur (1870-1871), 201
Garros, Roland, officier aviateur, réussit la première traversée de la Méditerranée, 217

Gaulle, Charles de, homme d'État français, général et écrivain, 228, 234, 237-239, 242-244
Gautier, maréchal-ferrant, 42
Gautier de Thérouanne, écrivain, 34
Gaudry, évêque de Laon, 30, 31
Georges V, roi de Grande-Bretagne et d'Irlande, 221
Gérard de Roubaix, 71
Germon, maréchal-ferrant, 42
Gilles Ghislain de Bousbecque,
seigneur de Bousbecque, 112
Gilles li Muisis, abbé de Saint-Martin à Tournai, 76
Godefroy de Bouillon (Godefroy IV de Boulogne, dit) duc de Basse-Lorraine, "Avoué du Saint-Sépulcre", 23
Godefroy de Saint-Omer, seigneur, 36
Grégoire, Henri, dit l'abbé, ecclésiastique et homme politique, 180
Guesde, Jules Bazile, dit Jules, homme politique français, 207, 209
Guilbert de Nogent, abbé de Nogent, 30
Guillaume Clinton, comte de Flandre, 34
Guillaume d'Avesnes, comte de Hainaut, Zélande et Hollande, 73
Guillaume de Dampierre, fils de Marguerite de Flandre, 55
Guillaume de Juliers, chef de la révolte flamande, 52, 71
Guillaume de Rubrouck, (Wilhelm van Rubroek), missionnaire flamand, 62, 63
Guillaume le Conquérant, duc de Normandie et roi d'Angleterre, 20, 21
Guillaume I, roi de Prusse, empereur d'Allemagne, 202

Guillaume II, roi de Prusse, empereur d'Allemagne, 226
Guizot, François, homme politique et historien, 191
Guy de Dampierre, comte de Flandre, 47
Guy de Namur, fils du comte de Flandre, 70
Güyük, Grand Khan des mongols, 63

Haig, Douglas, comte, feld-maréchal britannique, 225
Harold II, roi d'Angleterre, 21
Haspre (le baron de), gouverneur de Lille, 169
Heath, Edward, homme politique britannique, 273
Henri II, roi de France, 115, 116
Henri II, roi d'Angleterre, dit Plantagenêt, 40
Henri V, roi d'Angleterre, 85, 86, 88
Henri VIII, roi d'Angleterre, 108-110, 258
Hetzel, Pierre-Jules, éditeur et écrivain, 203
Hindenburg, Paul von Beneckendorff von, maréchal et homme d'État allemand, 226
Hitler, Adolf, homme d'État allemand, 234, 241
Hue de Lannoy, seigneur de Santes, 92
Hugues de Payns, seigneur, 36
Hugues d'Oisy, seigneur de Crèvecœur, 37
Humières, Louis de Crevant (duc de), maréchal, 140
Hyde de Clarendon, Édouard Hyde (comte de), premier ministre et chancelier anglais, 133

Isabelle de Hainaut, reine de France, 40
Isabelle de Portugal, 91

Jakemart Giélée, écrivain, 38
Jean Bodel, poète arrageois, 39
Jean de Ponthieu, seigneur, 16
Jean de Renesse, 71
Jean de Vienne, capitaine, 74
Jeanne, comtesse de Flandre,
princesse de Constantinople, 50, 51, 54, 60, 61
Jeanne d'Arc, sainte, héroïne française, 89
Jean sans Peur, 89
Jean sans Terre, roi d'Angleterre, 41, 51-53, 57
Jeffries, John, médecin américain
originaire de Boston, 164
Jobert, Michel, homme politique français, 273
Joffre, Joseph Jacques Césaire,
maréchal de France, 223
Joseph le Bon, ecclésiastique, révolutionnaire
arrageois, 179-180
Josquin des Prés ou Josquinus Pratensis, compositeur
franco-flamand, 92-94, 107
Jourdan, Jean-Baptiste, comte,
maréchal de France, 170
Juan d'Autriche, Don, prince légitimé espagnol, 130

Kluck, Alexander von, général allemand, 222
Koolhaas, Rem, architecte-urbaniste en chef d'Euralille
et de Lille-Grand Palais, 271
Kuhlmann, Charles Frédéric, chimiste et industriel,
187, 188, 198

Lafargue, Paul, socialiste français, 207
Lagrange, Léo, député, sous-secrétaire d'État aux Sports et Loisirs, 231, 277
La Meilleraye, Charles de la Porte (duc de), maréchal de France, 126
Lassus, Roland de, ou Orlano di Lasso, compositeur franco-flamand, 93, 107
Latham, Hubert, aviateur, 215-217
Laurent, Augustin, maire de Lille (1955-1973), président de la CUDL (1967-1971), 277
Lavoisier, Antoine Laurent de, chimiste, 166
Lebas, Jean-Baptiste, député-maire de Roubaix, ministre du Travail, 231
Lebrun, Albert, homme d'État français, 235
Leclerc, Philippe Marie de Hautecloque dit, maréchal de France, 239, 242
Lefebvre, Robert, journaliste, 230
Lefranc, Paul, premier adjoint au maire de Gravelines, 259
Léopold, empereur germanique, 158
Le Roy Ladurie, Emmanuel, historien, 38
Lestiboudois, Thémistocle, professeur de botanique et de zoologie, 198
Le Tellier, Michel, secrétaire d'État à la Guerre, ministre, chancelier de France, 142
Leyde (marquis de), gouverneur de Dunkerque, 125
Liénart, Achille, cardinal, évêque de Lille, 233
Line Dariel, animatrice à radio PTT Nord et à Télé-Lille, 229
Littré, Maximilien Paul Émile, philosophe, philologue et homme politique, 70

Louis III, roi de France, 27
Louis VI dit le Gros, roi de France, 30, 34
Louis VII dit le Jeune, roi de France, 60
Louis, comte d'Artois, futur Louis VIII le Lion, roi de France, 51
Louis IX ou Saint Louis, roi de France, 47, 63, 78
Louis XI, roi de France, 96-101, 267
Louis XII, roi de France, 93
Louis XIII le Juste, roi de France, 126, 127
Louis XIV, roi de France, 130, 133, 134, 138-143, 145, 146, 154, 155, 159, 161, 258
Louis XVI, roi de France, 166
Louis Cardon de Cottenchy, charpentier, 59
Louis de Mâle, comte de Flandre, 78, 79
Louis de Nevers, comte de Flandre, 78
Louvois, François-Michel Le Tellier (marquis de), ministre, secrétaire d'État à la Guerre, 138, 141
Ludendorff, Erich, général allemand, 225
Luther, Martin, réformateur religieux allemand, 76, 92, 107, 117

Maillart, Philippe, bourgeois valenciennois, 117
Malherbes, Chrétien Guillaume de Lamoignon de, ministre, dit le Sage, 168
Manessier, Alfred, peintre, 23
Manstein, Erich von Lewinski (dit von,) maréchal allemand, 236
Marlborough, John Churchill (duc de), général et homme politique anglais, 158, 159

Marc de Bade, gouverneur de Liège, 97
Marcel, Étienne, prévôt des marchands de Paris, 77
Marconi, Guglielmo, physicien, on lui doit la télégraphie sans fil, 212, 213
Marguerite de Flandre, princesse de Constantinople, 50, 52, 78
Marguerite, fille d'Édouard IV d'Angleterre, 98
Marguerite, fille de Louis de Mâle, 78
Marie de Champagne, comtesse de Flandre et de Hainaut, 50, 60
Marie I Tudor, reine d'Angleterre, 115
Marmion, Jean et Simon, son fils, 105
Mauroy, Pierre, Premier ministre, maire de Lille, président de la CUDL, 255, 271, 277, 278
Maximilien II, empereur germanique, 114
Mazarin, Jules, cardinal et homme politique, 129
Méchain, Pierre, astronome, 173
Mellick, Jacques, maire de Béthune, 42
Mitterrand, François, homme d'État français, 274
Mongy, Alfred, directeur des travaux publics à Lille, 200
Montgolfier (les frères de), industriels et inventeurs des ballons à air chaud, 163, 164
Moreau, Jean-Victor, général français, 171
Moulin, Jean, préfet de Chartres, résistant, 238
Mousseron, Jules, mineur, écrivain et poète, 247
Mullier, Agathon, industriel, 189

Napoléon Ier, Napoléon Bonaparte, Premier consul, puis empereur des Français, 172, 182-184, 186, 196

Napoléon III, Charles Louis Napoléon Bonaparte, empereur des Français, 198, 201
Nicolas V, pape, 94
Nicolson, négociant à Douai, 178
Nivelle, Georges Robert, général, 223
Notebart, Arthur, maire de Lomme, président de la CUDL (1971-1989), 262

Ockeghem, Johannes, compositeur franco-flamand, 93
Öegödai, Grand Khan des mongols, 63
Okuda, président de Toyota, 258
Ormesson, Jean Lefèvre (comte d'), journaliste, écrivain, membre de l'Académie française, 5
Othon IV de Brunswick, roi des Romains et empereur germanique, 51, 52
Oudry, Jean Baptiste, peintre, dessinateur, décorateur et graveur, 136

Parmentier, Antoine-Augustin, pharmacien militaire et agronome, 113, 165, 166, 184
Pasteur, Louis, chimiste et biologiste, 122, 187, 198-200
Payen de Montdidier, seigneur, 36
Pétain, Philippe, maréchal, homme d'État, chef de l'État français, 224, 225, 235, 237, 238
Pétrarque, écrivain italien, 75
Philippe Ier, roi de France, 17
Philippe II Auguste, roi de France, 40, 41, 51-54, 57, 67, 267

Philippe IV le Bel, roi de France, 70, 71
Philippe VI de Valois, roi de France, 72, 74
Philippe II, roi d'Espagne, 115-117
Philippe IV, roi d'Espagne, 128
Philippe d'Alsace, comte de Flandre, 51
Philippe de Comines, chroniqueur, 106, 115
Philippe le Bon, duc de Bourgogne, 89-97, 106
Philippe II le Hardi, duc de Bourgogne, 78, 79, 80, 89
Picard, médecin à Abbeville, 197
Pie XII, Eugénio Pacelli, pape, 235
Pierre l'Ermite, religieux, 22
Pilâtre de Rozier, François, physicien et aéronaute, 164
Platelle, Henri, chanoine, médiéviste, historien, 161
Plouvier, Léon, directeur de Radio PTT Nord à Lille, 230
Polo, Marco, voyageur italien, 64
Pompidou, Georges, homme d'État français, 273
Pottier, Eugène, homme politique et poète, 207

Ralite, Claude, urbaniste, 261
Raoul de Clermont,
  seigneur de Clermont-en-Beauvaisis, 77
Raoul de Créquy, sire de Créquy, 61
Raoul Glaber, le Chauve ou l'Imberbe,
  moine et chroniqueur bourguignon, 22
Renaud de Dammartin, comte de Boulogne, 51, 52, 57
Renaud de Dampierre, comte de Namur, 47
Richard Ier Cœur de Lion, roi d'Angleterre, 67
Richelieu, Armand Jean du Pressis, cardinal de, 126
Robert II, comte d'Artois, 71

Robert de Clari, chevalier et chroniqueur, 40
Robert de Luzarches, maître d'œuvre, 59
Robert de Molesme, fondateur des abbayes de Molesme et de Cîteaux, 36
Robert (les frères, aéronautes), 163
Robin des Bois (Robin Hood), héros légendaire saxon, 57
Rodolphe II, empereur germanique, 114
Roger de Lille, 71
Roland de La Platière, Jean-Marie, ministre de l'Intérieur, 169
Romand, Pierre-Ange, compagnon de voyage de Pilâtre de Rozier, 165
Rothschild, James, baron de, fondateur des chemins de fer du Nord, 194
Ruskin, John, critique d'art, 59

Saint-Léger, Alexandre de, historien, 51
Salengro, Roger, député-maire de Lille 1925-1929, ministre de l'Intérieur, 231-233
Seurat, Georges, peintre, dessinateur français, 275
Siger de Bailleul, 71
Simonet, Jean-Antoine, apothicaire à Paris, 165
Simons, Léopold Alphonse, dessinateur, peintre, journaliste, comédien, auteur, poète, chanteur, animateur à Radio PTT nord et à Télé Lille, 229, 248
Soliman II le Magnifique, Sultan ottoman, 112
Souham, général français, 171
Staline, homme d'État soviétique, 235

Stephenson, George, ingénieur britannique, 192
Sueur, Georges, écrivain, journaliste, 254

Testelin, Achille, médecin oculiste lillois, "le bouillant Achille", 201
Thatcher, Magaret, femme politique britannique, 273
Thiers, Louis Adolphe, chef du gouvernement, président de la République, 202
Thierry d'Alsace, comte de Flandre, 35, 36, 258
Thomas et Renaud de Cormond, maîtres d'œuvre, 59
Thomé de Gamond, Aimé, ingénieur, propose le premier projet sérieux d'un tunnel sous la Manche, 272
Thorez, Maurice, homme politique français, 245
Toulouse-Lautrec, Henri de, dessinateur, peintre, lithographe, affichiste, 275
Turenne, Henri de la Tour d'Auvergne (vicomte de), maréchal de France, 130, 131, 138, 142

Urbain II, pape, 22

Van Artevelde, Jacob, chef de la révolte gantoise, 72, 73
Van Artevelde, Philippe, fils de Jacob, 79
Van der Meersch, Maxence, avocat et écrivain, 230
Van Eyck, Jan, attaché à la cour du duc de Bourgogne à Lille, chargé de mission, peintre, 106
Van Robais, Josse, manufacturier, 135, 137
Van Robais de Rixdorf, fils de Josse, 137

Vauban, Sébastien Le Prestre, seigneur et maréchal de, commissaire général des fortifications, 138-142, 145, 151, 152, 156, 157, 258
Vauquelin, Nicolas Louis, chimiste, 184, 187
Vendôme, Louis-Joseph, duc de Vendôme et de Penthièvre, 159
Verne, Jules, écrivain, 203-205, 275
Villars, Louis-Hector (duc de), maréchal, 159
Villeneuve, Pierre Charles Jean Baptiste Silvestre, amiral, 182
Viseux, Augustin, galibot, chef de chantier, porion, ingénieur principal, écrivain, 246
Vollant, François, Simon, architecte, 139

Wallon de Sarton, chanoine de Picquigny, 58
Wenceslas Cobergher, peintre, ingénieur et architecte, 124, 125
Wright, les frères, aviateurs et constructeurs d'aéroplanes, 215

York (duc d'), maison d'York, famille noble anglaise, 130
Yourcenar, Marguerite de Crayencourt (dite Marguerite), romancière et essayiste, membre de l'Académie française, 5

Zola, Émile, écrivain, 205, 206